Catalogage avant publication de Bibliothèque et Archives nationales du Québec et Bibliothèque et Archives Canada

Roux, Paul, 1959-

    Gladiateurs virtuels

    (Zèbre)
    Pour les jeunes de 10 ans et plus.

    ISBN 978-2-89770-104-8

    I. Titre. II. Collection : Collection Zèbre.

PS8585.O891G52 2017   jC843'.54   C2017-940336-2
PS9585.O891G52 2017

Dépôt légal – Bibliothèque et Archives nationales du Québec, 2017
Bibliothèque et Archives Canada, 2017

Réimpression 2018

Direction éditoriale : Sylvie Roberge
Direction littéraire et artistique : Thomas Campbell
Révision : Marie Pigeon Labrecque
Conception graphique, couverture et pages intérieures : Kuizin Studios (kuizin.com)
Illustrations : Collection thenounproject.com : « Zèbre » par Alberto Gongora (p.3, p.4, p.5), « appareil photo » par Abhiraami Thangavel (p.3, p.4, p.5), « poubelle » par Genius Icons (p.3), « pouce » par Oksana Latysheva (p.21, p.72, p.87), « avatar » par Avasiloiei Liviu (p.38, p.41, p.42, p.44, p.113, p.114, p,115, p.141), « crane » par Tim Piper (p.39, p.40, p.41, p.42, p.43, p.114, p.115, p.116, p.141), « casque » par Orun Bhuiyan (p.40, p.41, p.43, p.57, p.72, p.91, p.112), « jumelles » par Tinashe Mugayi (p.60), « garçon » par Fuat şanlı (p.112, p.141) « fille » par Oksana Latysheva (p.112, p.141), « explosif » par Arthur Shlain (p.113), « chat » par Sitchko Igor (p.113, p.115, p.141), « cornet » par Jason Grube (p.113, p.115, p.141), « singe » par Oksana Latysheva (p.113) « profil » par Magicon (p.113), « gorille » par Artem Kovyazin (p.114, p,115, p.141), «Tie fighter » par Lluisa Iborra (p.114, p.141), « casque romain » par Richard Pasqua (p.119), « voiture de patrouille » par Marvdrock (p.128), « profil » par Alex Quinto (p.129), « empreinte » par Elves Sousa (p.129).

Financé par le gouvernement du Canada | Canadä

 Conseil des arts Canada Council
du Canada for the Arts

Nous remercions le Conseil des arts du Canada de l'aide accordée à notre programme de publication.

Cet ouvrage a été publié avec le soutien de la SODEC. Gouvernement du Québec – Programme de crédit d'impôt pour l'édition de livres – Gestion SODEC.

CANADA

Bayard Canada Livres
4475, rue Frontenac
Montréal (Québec) Canada H2H 2S2
edition@bayardcanada.com
bayardjeunesse.ca

Imprimé au Canada

Offert en version numérique
978-2-89770-105-5
bayardjeunesse.ca

GLADIATEURS VIRTUELS

Paul Roux

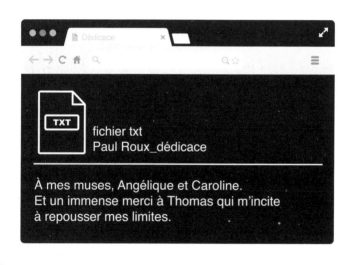

fichier txt
Paul Roux_dédicace

À mes muses, Angélique et Caroline.
Et un immense merci à Thomas qui m'incite
à repousser mes limites.

GLADIATEURS VIRTUELS

Paul Roux

COLLECTION ZÈBRE

CHAPITRE 1
Le mauvais coup

Lancée avec force, la pierre percute la vitre. La fenêtre vole en éclats. Ça y est, il a osé !

« Finalement, avec un peu de sang-froid, ce n'est pas si difficile », songe Marcus.

Mais le plus important reste à faire. Maintenant, il lui faut être efficace et rapide. La réussite de l'exploit dépend des vingt prochaines minutes.

« Étape 1 : courir le plus vite possible jusqu'au sapin pour récupérer le trépied et la caméra.
Étape 2 : éteindre l'appareil et disparaître dans le parc.
Étape 3 : me réfugier dans la cachette et m'assurer que personne ne me poursuit.
Étape 4 : me changer. »

Rallumant sa caméra, il relève le capuchon qui dissimule son visage. Fixant l'objectif, il lève le pouce et lance :

— Mission accomplie !

Puis il se change. Il ôte son débardeur gris qu'il remplace par un tee-shirt bleu pâle et une casquette noire. Il replie son trépied et range le tout dans son sac à dos. Ni vu ni connu, il vient de changer de *look*. Méconnaissable, Marcus sort de sa cachette. Par prudence, il fait un léger détour pour rentrer chez lui, au 28 rue Durocher.

À trois maisons précédant la sienne, au 22, six personnes sont attroupées sur la pelouse de madame Laporte. Cette dernière se lamente : qui a démoli sa fenêtre ? Il y a des débris de verre partout. La pauvre vieille est si gentille et serviable que, dans le quartier, on la surnomme Mamie Teresa. Alors pourquoi ce geste gratuit ? Quelle méchanceté ! Marcus aurait préféré éviter de s'en prendre à elle, mais il n'a pas eu le choix. L'accomplissement de ce mauvais coup est nécessaire à la poursuite de sa quête.

Les écouteurs enfoncés dans les oreilles et les mains dans les poches, Marcus balance la tête au rythme de la musique. Sans un regard pour le petit groupe de voisins, il passe son chemin et rentre chez lui.

Aussitôt à la maison, il se précipite dans sa chambre. Plus que huit minutes…

— Vite ! Il faut que je me dépêche ! marmonne-t-il en extirpant la caméra de son sac à dos.

D'un geste fébrile, Marcus connecte un câble USB et transfère la vidéo qu'il vient de tourner dans l'ordinateur. Il vérifie la qualité des images, puis donne un titre à son film : **D5 - La pierre**. Plus que deux minutes… Il accède à son compte et, sans attendre, publie sa vidéo, accompagnée de ces simples mots : Réussi. Votez !

Face à son ordinateur, Marcus s'enfonce dans son fauteuil. Il savoure le moment. Son cinquième exploit ! Il est fier de lui.

CHAPITRE 2
La gloire et la fortune

Ça y est, les résultats commencent à entrer !

Les J'aime et les *Thumbs up* s'accumulent. Déjà une quarantaine. Et en dix minutes seulement ! Soixante. Soixante-douze. Ça augmente à vue d'œil.

Cinquante minutes plus tard, à la clôture du vote, le compteur affiche : 357.

— Excellent ! s'exclame Marcus. C'est 115 de plus que la dernière fois. Je progresse. Et le score, ... 2197 points ! Pour un cumulatif de 4717 points.

Marcus vient de réussir son cinquième défi.

Et 357 internautes ont aimé ça. Lui qui, une dizaine de jours plus tôt, était totalement inconnu de l'univers virtuel du jeu *Altius*.

Un mot latin qui signifie « plus haut ». Six lettres gravées dans la devise des Jeux olympiques et qui incitent au dépassement de soi : *Citius, Altius, Fortius.* Plus vite, plus haut, plus courageux !

Altius, c'est le nouveau jeu interactif à la mode. Tout le monde en parle à son école, mais très peu osent télécharger l'application et se lancer dans l'aventure. Marcus, lui, n'a pas hésité. Il a choisi de devenir gladiateur virtuel. Ce qui implique qu'il accepte de relever tous les défis lancés par le jeu, quels qu'ils soient. Des défis personnalisés, imaginés spécialement pour lui et adaptés à sa réalité. Du sur-mesure, des épreuves à la carte que personne d'autre que lui ne pourrait accomplir. Le jeu est gratuit et, contrairement à tous les autres sur le marché, *Altius* ne renferme aucun achat intégré. Deux seules obligations pour les candidats : chaque défi doit être photographié ou filmé, et réalisé dans un délai imparti. Cette preuve doit être aussitôt diffusée sur le site du jeu, où les **VOVO** (les voyeurs votants – ceux qui paient pour s'abonner au site) disposent d'une heure pour noter la performance. Ces notes procurent des points, que les concurrents accumulent.

Le but est d'atteindre les 100 000 points pour rafler la récompense de 10 000 $!

Altius

TÉLÉCHARGER

QUELS QUE SOIENT TON SEXE, TON POIDS, TA GRANDEUR ET TES CAPACITÉS PHYSIQUES, SI TU AS QUATORZE ANS OU PLUS, TU PEUX TENTER TA CHANCE. ET TU N'AURAS RIEN À PROUVER AUX AUTRES, CAR IL N'Y A PAS DE CLASSEMENT. AUCUN PREMIER NI DERNIER. TU NE SERAS EN COMPÉTITION QU'AVEC TOI-MÊME !

L'APPLICATION ALTIUS NE COÛTE RIEN, MAIS PEUT RAPPORTER GROS.

JUSQU'À

10 000

$$$$$$$

TÉLÉCHARGER

LE DÉROULEMENT DU JEU :

1 Ton application ALTIUS clignote
pour t'aviser qu'un défi est lancé.

2 Tu disposes de quelques jours
pour choisir où et quand le réaliser.

3 Chaque défi comporte une contrainte
de temps que tu dois respecter.

4 Quand tu es prêt à passer à l'action,
tu coches la case « C'est parti ! »
et le compte à rebours commence.

5 Pour valider ton défi, tu dois télécharger
les preuves photo ou vidéo sur le site
avant que le décompte arrive à zéro.

ALTIUS
TU AS TOUT À GAGNER !

AVERTISSEMENT : Ne pas réaliser le défi ou ne pas respecter
son délai d'exécution efface la totalité des points
accumulés par le gladiateur virtuel. S'il désire
continuer à jouer, il doit recommencer à zéro.

CHAPITRE 3
L'engrenage

Les quatre premiers défis n'ont pas été trop difficiles. Surprenants, mais assez simples à réaliser. Excité par la découverte du jeu, Marcus a évité de se poser trop de questions. Il s'est plongé sans réserve dans la réalisation de ses « exploits », stimulé par les réactions des spectateurs qui visionnent et commentent les vidéos. Performer pour un public, même virtuel, lui plaît bien. Il n'est pas habitué à ce qu'on lui accorde autant d'attention. Ses parents travaillent tout le temps, ils sont très souvent absents. Et côté amis, ce n'est guère mieux. À l'école, il préfère rester à la bibliothèque et se plonger dans des livres plutôt que de flâner avec ses camarades pendant les pauses. Ce jeu de défis est idéal pour lui. Il le connecte aux autres sans qu'il ait à les côtoyer.

Pour savoir jusqu'où chacun des gladiateurs sera prêt à aller pour réussir, le jeu *Altius* est conçu de façon à augmenter graduellement le degré de difficulté et de faisabilité des épreuves. Pour mettre en confiance les candidats, les premiers défis se réalisent à la maison, sans témoins gênants et avec un minimum de préparation et de moyens.

La première épreuve consistait à se laver les cheveux avec de la moutarde et à s'enduire le torse de mayonnaise. Un défi aussi stupide que désagréable. Plusieurs savonnages musclés ont été nécessaires pour éliminer tout le gras dont Marcus s'était enduit. Quant au traitement infligé à son cuir chevelu, l'odeur avait été longue à disparaître. Ce n'était pas très malin d'avoir utilisé de la Dijon extraforte.

397 POINTS

Plus fou encore, le second défi n'a duré qu'une minute. Tous les ingrédients se trouvant dans la cuisine, le plus dur a été de se résigner à avaler le dégoûtant mélange imposé de boisson gazeuse, yogourt liquide, jus de pamplemousse, huile d'olive, vinaigre et sauce de poisson. Et d'une seule traite, sans rien recracher. Toujours face à l'objectif de la caméra, témoin insensible et indifférent de cette épreuve ridicule. Car, franchement, ne faut-il pas être débile pour imaginer de tels défis ? Et encore plus idiot pour les relever ? Et tout aussi crétin pour les visionner et voter sur la qualité du spectacle ? Peut-être… Mais avec 10 000 $ en jeu, Marcus estime que ça en vaut la peine.

589 POINTS

Plus écœurante, la troisième épreuve obligeait Marcus à lécher le museau de son chat pendant trente secondes. Répugnant – puisque l'adolescent ignorait si l'animal venait juste de faire sa toilette intime –, et dangereux – car le félin n'est pas dégriffé. Sa truffe était chaude, spongieuse et très humide. Un goût, une texture et une odeur qu'il n'était pas près d'oublier. Il avait failli vomir. Ces trente secondes lui avaient semblé une éternité. Depuis, Marcus s'interroge. Comment les responsables du jeu savent-ils qu'il a un chat ? Il aurait pu préférer un chien, un hamster ou un poisson rouge. Mais les défis étant personnalisés et adaptés à chacun des concurrents, ce ne peut être un hasard. Ils sont au courant de l'existence du matou. Comment obtiennent-ils ce genre d'information ?

602 POINTS

Plus humiliant, le quatrième défi exigeait d'être réalisé en public. Marcus devait entrer à quatre pattes dans l'épicerie la plus fréquentée du quartier. Et à une heure de grande affluence. La honte ! Plein de gens le connaissent. C'était délicat et gênant. La belle Marylou Lebrun risquait de l'apercevoir dans cette position dégradante. Mais un défi est un défi. Pas question de perdre la face ni des points.

Pour y arriver, il avait dû résoudre deux problèmes majeurs : de quelle façon filmer la scène ? Et comment éviter de sortir humilié de cette épreuve ? La solution : le mensonge. Pour ne pas avoir l'air idiot à quatre pattes dans l'entrée du magasin, il a prétexté la perte d'un verre de contact. Quelques personnes s'étaient même agenouillées pour chercher avec lui.

Et pour enregistrer la scène, il avait demandé à son ami Pat de le filmer avec son téléphone, prétextant une blague qu'il voulait faire à sa sœur.

932 POINTS

Les quatre premières épreuves n'étaient en fait qu'un grand rite d'initiation. Un passage obligé pour être officiellement reconnu comme gladiateur virtuel et commencer à subir les véritables défis.

Le stress et la peur se rajoutant, le cinquième défi avait été plus intense. Cette fois, il avait fallu faire quelque chose d'interdit. Avec le risque d'être pris sur le fait et d'en subir les conséquences. Objectif : jouer un mauvais tour à la plus gentille des dames du voisinage, madame Laporte. Quelle drôle d'idée ! Pourquoi elle ? Et comment se faisait-il que les responsables du jeu la connaissaient ? Peu importe, il avait réussi. C'était l'essentiel.

2197 POINTS

Résultat : 4717 points en une semaine. Belle progression. Marcus est satisfait. Enfin, pas entièrement. Il regrette un peu son geste. L'idée de la pierre n'était pas géniale, mais il n'en a pas trouvé de meilleure. Rien de très grave, ce n'est qu'une fenêtre. Ça se répare. Et puis… ce n'est pas vraiment de sa faute, c'est son avatar, Spartacus2908, qui a commis cet acte de vandalisme.

CHAPITRE 4
L'escalade

Fixant l'écran de l'ordinateur, Marcus s'exprime face
à la caméra :

— Cette fois, ils vont m'imposer quelque chose de
plus difficile, je le sens. Un exploit vraiment digne
d'un gladiateur. Mais je saurai faire face.
Je suis prêt !

Depuis son adhésion au jeu, l'adolescent enregistre
ses états d'âme. Un journal de bord filmé de ses
idées, de ses craintes et de ses stratégies pour
relever les défis. Ça l'aide à mettre de l'ordre dans ses
pensées et à bien se préparer. Car, à part son ami Pat
qui, à son insu, l'a aidé à réaliser son défi à l'épicerie,
Marcus n'a pas d'ami à qui parler de ses activités de
gladiateur.

Pat est bien gentil, mais c'est un garçon imprévisible et superficiel. Marcus n'imagine pas se confier à lui. D'autant plus que, pour l'instant, la séparation entre les mondes réels et virtuels lui convient parfaitement. Se confier à une caméra n'est pas gênant. Ça n'entraîne pas de questions ni de commentaires déplaisants.

D'un tout autre genre, le prochain lot de défis va tester la détermination de Marcus. Des épreuves plus délicates, plus gênantes l'attendent. C'est à ce stade-ci que, habituellement, les concurrents les plus faibles renoncent, et que leurs avatars sont supprimés du jeu. À plusieurs reprises, Marcus a vu comment ceux qui abandonnent sont punis. Lâché dans une arène remplie de lions, leur avatar est dévoré, pixel par pixel. Une petite animation, repassée en boucle pendant deux jours, confirme leur échec et leur exclusion du jeu. Marcus veut éviter de grossir leurs rangs.

Maintenant que tu as terminé avec succès
la ronde des défis solitaires, il est temps
de sortir de l'anonymat. Les trois prochains
défis, tu devras les réaliser au grand jour,
à la vue de tous. Tu seras visible et exposé.

ES-TU PRÊT,
SPARTACUS2908 ?

Auras-tu le cran
de surmonter ta gêne
et le regard des autres ?

ALTIUS

ES-TU UN VRAI
GLADIATEUR VIRTUEL ?

Piqué au vif, Marcus réplique aussitôt sur son clavier :
« Lancez vos défis ! Ça ne m'impressionne pas. »
À peine a-t-il envoyé sa réponse que l'écran s'illumine.

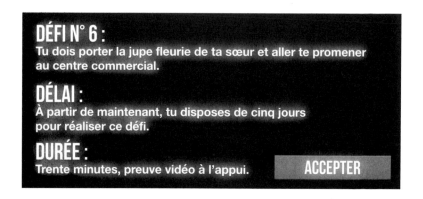

DÉFI N° 6 :
Tu dois porter la jupe fleurie de ta sœur et aller te promener au centre commercial.

DÉLAI :
À partir de maintenant, tu disposes de cinq jours pour réaliser ce défi.

DURÉE :
Trente minutes, preuve vidéo à l'appui.   ACCEPTER

« Me promener en jupe ? songe Marcus. Ça n'a aucun sens. Et d'abord, comment savent-ils que j'ai une sœur ? Et qu'elle possède une jupe fleurie ? Comment font-ils pour être aussi bien informés ? C'est comme si on m'espionnait. Je n'y comprends rien. »

Ça bouillonne dans sa tête. Il est intrigué. Cette intrusion dans son intimité l'inquiète un peu. Mais c'est le prix à payer pour jouer à *Altius*. Sa nouvelle vie de gladiateur est stimulante. Elle apporte de la fantaisie dans son quotidien et elle lui donne un sentiment d'accomplissement. Ce qui, pour lui, compense largement cette porte ouverte sur sa vie privée.

Une fois de plus, il chasse ces questions de son esprit.

Il trouve sans peine la jupe en question dans la garde-robe de sa sœur. Une vraie chambre de fille coquette, avec des flacons, des parfums et des bijoux qui traînent un peu partout sur la table de chevet et les commodes.

Face au miroir, il dispose la jupe devant sa taille, juste pour constater à quel point il aura l'air grotesque habillé ainsi :

— Ça ne peut même pas passer pour un kilt. Les fleurs sont trop voyantes et les couleurs trop vives. Et je vais devoir me promener avec ça au milieu des gens. Ridicule !

Marcus est déçu. Il imaginait son rôle de gladiateur virtuel autrement. Il désire accomplir des exploits un peu plus intenses et excitants que de se déguiser en fille. Mais il se raisonne. Bien que gênante, cette épreuve ne sera pas si difficile que ça à accomplir. Et elle le rapprochera du gros lot.

CHAPITRE 5
L'humiliation

Équipé de la minuscule caméra GoPro de son père fixée au bout de sa perche, Marcus prend une grande respiration et s'élance. « Trente minutes, je dois tenir trente minutes », se répète-t-il pour se motiver.

Comme tous les samedis après-midi, le centre commercial est bondé. Les retraités et les familles ont envahi la place. Les bancs sont pleins, les allées congestionnées. À cheval sur des lions, des chevaux ou des pandas motorisés, des enfants circulent entre les passants amusés. Le tout baignant dans un brouhaha, enrobé d'un fond musical ennuyant.

Marcus avance comme un automate, droit devant lui, plus soucieux de ne pas éborgner quelqu'un avec la caméra que de sa propre apparence. Il a fière allure, avec sa jupe fleurie et ses espadrilles.

Il est surpris. Trop affairés, la plupart des gens ne le regardent même pas. Ils envoient des textos, clavardent et pianotent, les yeux rivés sur leurs écrans. Chacun dans sa bulle, en plein milieu de la foule. Marcus passe presque inaperçu.

« Il y a tellement de gens mal habillés que je ne ressors pas vraiment, se dit-il en croisant quelques agencements de textures et de couleurs plutôt osés. Je ne pouvais pas espérer mieux. Ça m'aide à me fondre dans la masse. C'est idéal ! »

Quelques enfants se retournent en souriant sur son passage, trois ou quatre adultes lui lancent un regard noir. Fixant le sol, il les ignore et presse le pas. Au fond, la réaction des gens n'est pas si forte. Il s'attendait à pire. Il n'intéresse pas grand monde et ça fait bien son affaire.

Résigné, Marcus continue sa promenade dans les couloirs du centre commercial. La caméra tourne. Sept minutes sont déjà enregistrées.

Plus que vingt-trois minutes à filmer. Vingt. Seize. Onze. Huit. Quatre.

« Finalement, tout se déroule assez bien », songe-t-il. Soudain, il aperçoit sa sœur, Nathalie, accompagnée de deux de ses amies dans l'escalier roulant qui descend vers lui : « Non ! Pas elle ! Pas ici ! Pas maintenant ! »

Instinctivement, il baisse la tête et bifurque aussitôt vers la gauche. Manque de bol, le brusque changement de direction attire l'attention de sa sœur :
— Hé, les filles ! s'exclame-t-elle. Regardez la jupe de la brunette aux cheveux courts, là-bas. C'est la même que la mienne ! Mes parents me l'ont achetée dans une petite boutique de Vancouver, l'été dernier. C'est la première fois que j'en vois une semblable ici.

Clignant des yeux, elle tente d'identifier celle qui la porte :
— Vous la connaissez ?
— Non, je ne l'ai jamais vue, répond une de ses amies.

— Et je peux vous affirmer qu'elle ne va pas à notre école, ajoute l'autre. Avec une démarche aussi peu féminine et ses épaules voûtées, je l'aurais sûrement déjà remarquée.

Entraînant ses amies, Nathalie se lance à la poursuite de l'inconnue :

— Venez, on va lui demander où elle a acheté sa jupe. J'aimerais savoir où se trouve cette boutique. J'y trouverai sûrement de nouveaux modèles intéressants.

Constatant que les filles se dirigent vers lui, Marcus panique. Il tourne les talons et s'enfuit en sautillant, multipliant les changements de direction. Pas facile de courir avec une jupe aussi ajustée. Essoufflé, il se précipite dans le premier couloir venu. Sur la droite, le salut : un escalier d'une quinzaine de marches débouche sur la rue.

Prenant son élan, il tente de gravir les marches trois à trois. Mauvaise idée. Un déchirement sec retentit.

Fendue de bas en haut, la jupe pend le long de ses cuisses, exposant son boxeur rayé rouge et noir.

Désemparé, Marcus se réfugie dans les toilettes. Reprenant son souffle, il constate les dégâts. La jupe est foutue. Sa sœur va être furieuse. À moins qu'elle n'apprenne jamais ce qui est arrivé. Il lui suffit de faire disparaître les preuves en se débarrassant du vêtement. Aussitôt dit, aussitôt fait dans la première poubelle venue.

Par chance, la caméra est restée allumée et tout a été filmé. L'objectif est atteint. C'est le plus important. Tant pis pour la jupe de sa sœur. Il lui en achètera une nouvelle quand il sera riche.

Après avoir enfilé le pantalon qu'il a apporté dans son sac à dos, il se précipite en dehors du centre commercial. Il n'est pas question de tomber nez à nez avec les trois filles.

CHAPITRE 6
Une cyberattaque

— Super, 3207 points ! Plus que j'espérais.

Finalement, ce sixième défi est plutôt réussi.

Les **VOVO** ont bien aimé, surtout le moment où

la jupe se déchire. L'expression sur mon visage

est hilarante. Je ne m'attendais tellement pas

à ça ! confie Marcus à la caméra.

Entre les défis, il continue son journal. Il n'a jamais

autant parlé de ce qu'il vit et de ce qu'il ressent.

Dommage qu'il le fasse devant un objectif et non

devant à une personne avec qui il pourrait échanger.

Il n'est pas habitué à se confier ni à parler de ses

émotions. C'est beaucoup trop gênant. S'il avait un

ami, il finirait peut-être par oser. Mais les fréquents

déménagements causés par le boulot de ses parents

l'ont toujours empêché de tisser des liens et de

développer un sentiment d'appartenance. Pour l'heure, la caméra fait tout aussi bien l'affaire.

Malgré tout, ce jeu en ligne a un effet positif sur lui. Il pique sa curiosité, le stimule et l'oblige à se dépasser. Et bien que les défis imposés et la manière de les relever soient discutables, cette compétition transforme Marcus. Il est plus déterminé, plus entreprenant. Affronter l'inconnu ne l'effraie plus autant. De nature discrète et craintive, Marcus n'a jamais été très aventureux. Il n'impressionne personne. C'est un adolescent ordinaire qui n'a pas vraiment d'amis et qui passe généralement inaperçu. Préférant la lecture aux sports, et le calme de sa maison à l'agitation de l'école, il fuit comme la peste les situations embarrassantes et risquées. Un véritable champion de l'évitement ! Spartacus2908 est en train de le transformer.

Monotones, quelques jours passent. Marcus est en manque de défis. Il s'impatiente. Il a hâte de connaître sa prochaine épreuve. À la maison, il s'ennuie.

À l'école, il n'arrive plus à se concentrer. Il ne pense qu'au jeu. Ça l'obsède. Il est de plus en plus accro.

Dès qu'il en a l'occasion, il se connecte au site pour visionner les exploits des autres gladiateurs. En tant que joueur, il ne peut pas voter, c'est la règle. Les gladiateurs n'ont pas le droit de se noter entre eux. Mais ils sont libres de visionner et d'apprécier les performances des autres. Voir les autres échouer ou réussir leurs défis motive Marcus. Il imagine ce qu'il aurait fait à leur place.

Le reste du temps, il scrute les commentaires et réactions des spectateurs anonymes qui décident du succès et de la progression des gladiateurs. Ils sont sévères et sans pitié. Ils commentent tout. S'ils aiment ce qu'ils visionnent, les éloges pleuvent. S'ils trouvent ça nul, ils se déchaînent. Et ça peut faire mal. Marcus en sait quelque chose. Sur le forum du jeu, *Lâchez les lions*, il a lui aussi reçu son lot de commentaires bêtes et méchants.

Belzébuth666 n'arrête pas de le critiquer
et de le rabaisser.

5 avril

Belzébuth666

Nul, ton défi ! : (

8 avril

Belzébuth666

Change d'acteur ! Ça rendra peut-être
tes films intéressants !

10 avril

Belzébuth666

Lâche pas,
cé à 4 pattes que té l'meilleur !

17 avril

Belzébuth666

Trop mignonne avec ta jupe,
mademoiselle le gladiateur !

Skorpió le traite de lâche, de rat et de mollusque.

7 avril

Skorpió

Gladiateur virtuel ! Toi ?
Mort de rire, le rat !

9 avril

Skorpió

T nul ! T nul ! T nul !

12 avril

Skorpió

S'attaquer à une mamie... Quel courage !
Bravo, Super Spartacus2908 !

13 avril

Skorpió

Trop facile d'exploser une seule fenêtre !
Si tu avais des c..., c'est toutes les vitres
de la maison que tu aurais éclatées !
Mollusque !

Agacé, Marcus a fait l'erreur de répliquer.

13 avril

Spartacus2908

Le mollusque, c'est toi ! Tu passes ton temps à baver des insultes sur le site. Rentre donc dans ta coquille et ferme ta trappe à niaiseries.

13 avril

Skorpió

Wooouuuu ! Sparta sort ses griffes ! J'en tremble !

13 avril

Spartacus2908

Le pire, c'est que tu te crois drôle. Té-Tro-Con !

13 avril

Skorpió

Pitié ! Tu ne vas pas t'en prendre à ma grand-mère ?

13 avril

Spartacus2908

Gros débile !

13 avril

Belzébuth666

Elle craque, la tête à claques.

13 avril

Spartacus2908

Oh toi, l'erreur de la nature,
ne te mêle pas de ça !

13 avril

Skorpió

Trop cool ! Petit Sparta
pique une colère en direct !

13 avril

Belzébuth666

Il devrait se filmer. Il doit être impressionnant avec son visage tout rouge et ses petits poings serrés.

13 avril

Skorpió

Méchant gladiateur ! Barricadez-vous, les mamies. Sparta se déchaîne !

13 avril

Belzébuth666

Brrr ! Si ma grand-mère était encore vivante, je m'inquiéterais pour sa sécurité. Sparta-le-féroce pourrait bien aller piétiner ses fleurs !

LE VRAI VISAGE DE SPARTA !

13 avril

Skorpió

Ou voler ses sous-vêtements sur sa corde à linge. Super Sparta ne recule devant rien pour accomplir ses exploits !

13 avril

Spartacus2908

Crétins ! Vous avez de la chance de ne pas être en face de moi !

13 avril

Skorpió

Pourquoi ? Tu nous aspergerais de moutarde forte pour brûler nos yeux ?

13 avril

Belzébuth666

Ou tu nous lécherais le museau ?

13 avril

Belzébuth666

Sssssllluuuuurp !

« Ces deux-là sont complètement débiles, songe Marcus. Sous le couvert de l'anonymat, ils se croient tout permis. Ils lancent leur venin juste pour le plaisir de provoquer. C'est de la pure méchanceté. Inutile de perdre du temps à échanger avec eux. Ça ne mène nulle part. Ce qui compte, c'est de gagner le gros lot. J'ai 10 000 bonnes raisons d'oublier ces abrutis et de me concentrer sur mes défis. »

CHAPITRE 7
Toujours plus haut !

Deux autres interminables journées s'écoulent.

Marcus ne tient plus en place. Il attend avec fébrilité son prochain défi. Il tente de deviner ce qui l'attend : « Qu'est-ce qu'ils vont me demander, cette fois ? De manger une araignée vivante, de me laver la tête dans la cuvette des toilettes ou de crever les pneus de la voiture d'un voisin ? Ça m'étonnerait.

Trop banal, trop facile. Pas assez spectaculaire.

Pour accumuler des points, il faut impressionner les **VOVO**. C'est la règle ! »

À en juger par les commentaires publiés sur le site du jeu par les voyeurs votants, ces derniers sont surtout avides de sensations fortes. Ils votent pour chacune des vidéos qu'ils aiment, une seule fois et dans l'heure qui suit sa diffusion sur le site. Une note de 1 à 25.

Une somme aussitôt transformée en points, qui sont ajoutés au compte de chaque gladiateur.

Les meilleures notes vont aux exploits les plus spectaculaires et risqués. Comme escalader un pylône électrique à mains et à pieds nus ; ou participer à une course de bicyclette sur la glace, sans se servir des freins ; ou encore, jongler avec des cactus, en équilibre sur une poutre.

Ces prouesses sont suivies de près par tout ce qui est répugnant ou dégoûtant. Comme ce garçon qui a dégusté un grand bol de chenilles vivantes avec de la crème fouettée ; ou cette fille qui s'est assise en maillot de bain dans le nid de fourmis qu'elle venait juste de saccager. La vision de ces milliers d'insectes lui courant sur tout le corps faisait frémir.

En troisième place du classement se trouve tout ce qui fait peur et donne des frissons. Comme ce gars qui met des animaux entiers dans sa bouche, en ne laissant dépasser que la queue. Hamsters, cochons d'Inde, souris et rats, tous les rongeurs y passent ; sans oublier celui qui dort avec sa tarentule.

Loin derrière, de maigres points vont à l'humour et aux gaffeurs en tous genres. Comme cette fille qui a démarré un robot culinaire plein à ras bord, en oubliant volontairement de mettre le couvercle ; ou celui qui a essayé de descendre un escalier en colimaçon à bicyclette ; ou encore, celui qui a décidé de planter des clous les yeux fermés.

Pour finir, quelques miettes sont accordées au reste des vidéos. Celles qui montrent des exploits comme boire la tête à l'envers ; jongler avec quatre pastèques ; ou se laver les dents avec une brosse à chaussures.

Alors que Marcus visionne quelques-unes de ces vidéos, le nouveau défi tombe enfin :

DÉFI N° 7 :

Dans ton quartier, il y a trois restaurants chinois :
Le lotus blanc, Canton express et La fleur de Pékin.
Tu dois t'introduire dans la cuisine d'un de ces trois
établissements pour t'y prendre en photo, pousser
d'atroces hurlements dans la salle à manger et t'enfuir
sans te faire attraper.

DÉLAI :

Tu disposes de sept jours pour réaliser ce défi.

DURÉE :

Variable, «selfie» ET preuve vidéo à l'appui.

BONUS :

Ton but est de mettre en colère les cuisiniers et de
gâcher le repas des clients. Capte des images de leurs
réactions et tu recevras 3000 points en prime.

ACCEPTER

« Pas évident à faire. Et plutôt embarrassant, songe

Marcus. Il n'est pas question de tenter ça à La fleur

de Pékin. On y va souvent manger en famille et les

serveuses me connaissent bien. Quant au Lotus blanc,

il est situé trop près de la maison. Je passe tous les

jours devant pour me rendre à l'école. Reste le Canton

express. Je n'y ai jamais mis les pieds. Il paraît que la

bouffe n'est pas très bonne. Mais il a l'avantage d'être situé assez loin de la maison. Ce qui est préférable pour relever ce défi. »

Car, pour que Marcus continue la compétition, il est essentiel que ses parents n'apprennent pas qu'il joue à *Altius*. Ils ne lui permettraient pas de poursuivre ses épreuves. Ils détestent en bloc tous les jeux vidéo. D'autant plus que le jeu commence à être populaire et connu, mais aussi très critiqué. Certains le trouvent génial, d'autres, débile et dangereux.

Informations

Altius, toujours plus haut dans la bêtise !

Hebdo ZEB

Gladiateurs de l'inutile !

La Voix du Web

Si vous voulez perdre votre latin, jouez à *Altius* !

Journal Ça Presse

→ **Plus de nouvelles**

S'ils ont entendu parler du jeu, les parents de Marcus sont sûrement de cet avis. Il ne faut surtout pas qu'ils découvrent que leur fils participe à ce genre de folie collective. Les conséquences seraient à la hauteur de leur déception et de leur colère. Fini la confiance et l'accès libre à Internet. Terminé son iPod et l'ordinateur dans sa chambre. Ce serait la fin du cordon ombilical virtuel le reliant au reste du monde. Le vide technologique, le désert informatique. Une forme de néant.

Mais abandonner Spartacus2908 pour retomber dans l'anonymat et la routine n'est déjà plus une option pour Marcus. Son gladiateur réclame fortune et gloire. Il vampirise le jeune homme. Peu à peu, il prend possession de son esprit, de sa vigueur et de sa jeunesse. Dans le miroir, il n'y a plus que le reflet du héros.

CHAPITRE 8
Un parfum aigre-doux

GoPro fixée au poignet de la main droite, et iPod en mode appareil photo dans la main gauche, Marcus arrive devant le Canton express. Il est midi trente. Une vingtaine de clients sont déjà attablés, le nez dans leurs nouilles ou leur riz.

Hier, il est venu repérer les lieux pour planifier la meilleure façon de disparaître après avoir accompli son mauvais coup. En soi, ce défi n'est pas si difficile. S'il est bien préparé, rapide et déterminé, Spartacus2908 a toutes les chances de réussir. Son principal ennemi, c'est la panique, la première source d'échec des concurrents. Elle résulte de l'imprévu, de l'inattendu. Rien ne doit être laissé au hasard. Et dans cette rue très fréquentée, tant par les piétons que par les automobilistes, fuir en courant sera risqué.

Le danger, c'est de se faire rattraper par les propriétaires du resto, de se faire écraser en tentant de traverser la rue ou de percuter quelqu'un en pleine face. Dans tous les cas, une trop grande probabilité d'échouer et de devoir recommencer le jeu du début.

Marcus veut mettre toutes les chances de son côté. Il sait que sa fuite sera une véritable course à obstacles, mais il a visualisé son parcours, comme un athlète avant une compétition. Il a même prévu un plan B, au cas où les choses tourneraient mal. Il veut impressionner les **VOVO** et obtenir un très gros score. Ce qui serait aussi une superbe façon de clouer le bec à Belzébuth666 et à Skorpió.

Midi quarante-cinq. Il y a maintenant une trentaine de clients dans le restaurant. C'est le moment de passer à l'action. Marcus entre à son tour. Il n'y a personne à l'accueil. La voie est libre. Sans hésiter, il se dirige vers les toilettes. L'entrée de la cuisine est située juste à côté, derrière un vieux rideau crasseux. Il entend parler chinois. Ils sont plusieurs et, d'après les bruits d'ustensiles et les échanges verbaux, ils travaillent dur. D'un geste vif, Spartacus2908 écarte le rideau et bondit dans la cuisine. À l'instant même, une serveuse transportant un plateau rempli de bols de soupe arrive dans l'autre sens. Dans son élan, il la heurte de plein fouet. Elle perd l'équilibre et le contenu de son plateau se répand sur le sol avec fracas. L'imprévu tant redouté est au rendez-vous. Mais Marcus est prêt. Pas question de céder à la panique.

Profitant de l'effet de surprise, il tourne le dos aux cuisiniers et, en l'espace d'une seconde, réalise quelques *selfies* avec son iPod. Au premier plan, Marcus sourit de toutes ses dents. En arrière-fond, armés de louches et de spatules, les cuisiniers se sont figés devant leurs fourneaux.

La première partie de la mission est achevée !

Sans attendre, Marcus se rue au centre de la salle à manger, glisse son iPod dans sa poche et pointe l'objectif de sa caméra vers son visage. Prenant une profonde inspiration, il pousse le hurlement le plus intense et terrible dont il est capable.

En quelques secondes, c'est la confusion la plus totale dans le restaurant. Les clients s'agitent. Certains s'affolent, d'autres s'énervent. Filmant leurs réactions, Marcus continue son concert de hurlements. Ajoutant au brouhaha, les cuisiniers et la serveuse jaillissent de la cuisine, furieux. C'est le moment de battre en retraite.

Renversant quelques chaises sur son passage pour gêner ses poursuivants, l'adolescent bondit hors du restaurant. Tel un furet, il se faufile avec agilité entre les passants. Dix minutes plus tard, il est en sécurité, dissimulé derrière les poubelles du centre commercial. Personne ne semble l'avoir suivi. Défi réussi !

Après le souper et les devoirs, il visionne photos
et vidéos :

— Excellent ! Toutes les exigences du défi sont
  remplies, je devrais gagner la prime de 3000 points.
  Dommage pour la collision avec la serveuse et les
  dégâts, mais ces images seront sûrement
  très payantes !

Après l'action, lorsque la forte poussée d'adrénaline
retombe, il éprouve parfois des remords. Il se
questionne sur la portée de ses actions et sur le peu
de considération qu'il a pour les gens. Des hésitations
que Spartacus2908 balaie aussitôt du revers de la
main. Un combattant ne doit pas avoir d'états d'âme.
La fin justifie les moyens !

CHAPITRE 9
En repérage

— Fantastique ! s'exclame Marcus. Avec ce défi, j'ai doublé mes points !

PRÉPARE-TOI, SPARTACUS2908 !

TU RECEVRAS TON PROCHAIN DÉFI D'ICI 48 HEURES.

SERAS-TU À LA HAUTEUR ?

 **ALTIUS**

AS-TU DU CRAN ?

Marcus est fier de son exploit. Ça prenait du courage pour le tenter et des nerfs d'acier pour le réaliser. Deux qualités essentielles à tout gladiateur. Il est prêt pour la suite !

À sa grande surprise, le huitième défi tombe dans les heures qui suivent. « On dirait que le rythme s'accélère, songe-t-il. Pourquoi ? Ont-ils peur que je me pose trop de questions et que j'arrête de jouer ? »

À la lecture de sa prochaine épreuve, Marcus sursaute : « Aïe ! Pas mal plus risqué, comme défi ! Il va être beaucoup plus compliqué à réaliser. Sans compter que, si je suis pris sur le fait, ce sera le renvoi automatique de l'école et le début de gros problèmes avec mes parents. C'est stressant ! »

Beaucoup de gens vont être impliqués dans cette affaire, incluant même des représentants de l'ordre ! Il faut que le coup soit bien préparé.

Le compte à rebours commence. Marcus dispose de dix jours pour accomplir son défi.

Avant qu'il l'entreprenne, tous ses temps libres –
pauses, heures du dîner et périodes d'étude – seront
consacrés au repérage des lieux. Ses soirées, il les
utilisera pour compiler ses observations, élaborer
sa stratégie et, accessoirement, faire ses devoirs et
s'acquitter de ses obligations familiales. Ainsi,
il n'éveillera pas les soupçons.

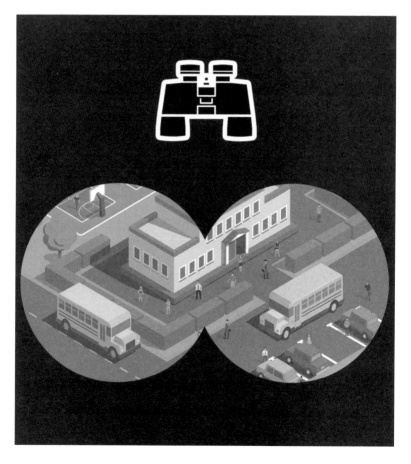

Jour 1 : Repérage du rez-de-chaussée de l'école.

« Combien y en a-t-il sur ce niveau et où sont-ils situés ? Ils sont pourtant là en permanence. Ils nous entourent, mais on ne les voit plus. Ils font partie du décor. »

Marcus en localise vingt-cinq – son école est grande. Le problème, c'est qu'ils sont tous placés dans des endroits très passants, trop exposés. Impossible de tenter quelque chose dans ces conditions.

Jour 2 : Repérage de l'étage. Deux de plus dans la bibliothèque. Vingt-sept en tout au premier. Le problème reste entier. Tous sont encore trop visibles. Trop dangereux.

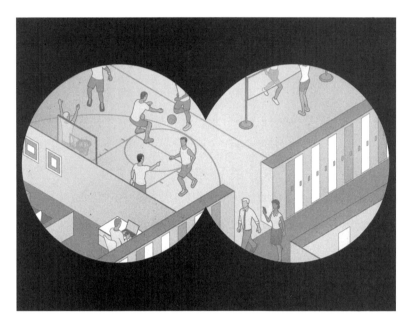

Jour 3 : Repérage du secteur du gymnase et de la piscine. Dix de plus dans ce coin-là.

« Impensable de relever mon défi dans ces locaux, songe Marcus. Ils sont seulement accessibles lorsqu'il y a des cours. De plus, comme l'entrée principale, la cafétéria, et la plupart des grands couloirs, ils sont équipés de caméras de surveillance. Pour protéger la vie des élèves et du personnel, paraît-il. Pour mieux nous espionner, oui ! Et ça me complique drôlement la tâche. C'est décourageant. »

Jour 4 : Par prudence, il décide de faire une pause, au cas où quelqu'un aurait remarqué son petit manège des derniers jours. Aujourd'hui, il se comporte en élève sérieux et studieux. Son heure de dîner, il la passe à lire ; sa période libre, à travailler à la bibliothèque ; ses pauses, à sortir prendre l'air. Le soir, en fils attentionné, il aide aux tâches ménagères.

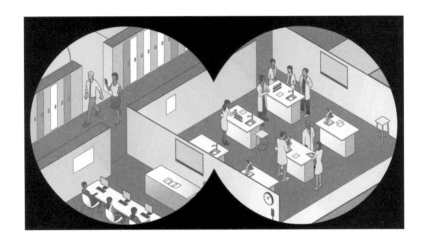

Jour 5 : Repérage de tous les recoins possibles et accessibles de la polyvalente. Sans se faire remarquer par les caméras, bien évidemment. Il n'est pas si facile que ça de se promener discrètement dans une école fréquentée par 1400 adolescents et plusieurs dizaines d'adultes. Il y a toujours quelqu'un qui passe ou qui traîne quelque part.

C'est en suivant à distance le concierge que Marcus trouve finalement la perle rare, le seul déclencheur manuel d'alarme à l'abri des regards. Perdu au fond d'un minuscule couloir conduisant au système de chauffage et de ventilation de l'école, il est situé dans l'endroit idéal pour relever son défi.

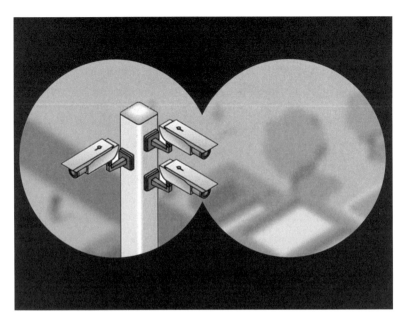

Jours 6 et 7 : La fin de semaine arrive à point.
Maintenant qu'il connaît l'endroit où il va passer
à l'action, Marcus peut planifier la suite des
opérations. Le samedi, il dessine un plan et détaille
tout ce qu'il lui faudra faire pour remplir sa mission.
Il est conscient que, pour la réussir, tout doit être
minuté et bien rodé. Un seul faux pas et tout est foutu.
Le dimanche, pour décompresser, il retourne à la vie
normale et passe un peu de temps avec sa sœur. La
pauvre fille n'arrête pas de se questionner à propos de
la disparition de sa jupe. Marcus fait mine de ne rien
comprendre.

Jour 8 : Un dernier repérage des lieux pour vérifier si son plan est réalisable. Sans être vu par les caméras ou par un prof trop zélé, il simule les mouvements et le trajet qu'il devra faire lorsque la cohue aura commencé.

Il en ressort satisfait.

« Si le stress ne me tue pas et que je garde mon sang-froid, ça semble faisable », se rassure-t-il.

Ce soir-là, Marcus a de la difficulté à s'endormir. La fébrilité, le stress et la trouille le rongent. Après tout, rien ne l'oblige à relever ce défi. À tout moment, il peut renoncer à jouer et cesser d'être un gladiateur virtuel. Il reprendrait le contrôle de sa vie et tout redeviendrait simple.

Mais « renoncer » est un mot que Marcus déteste. Il l'a banni de son vocabulaire. Et 10 000 bonnes raisons confirment cette décision.

CHAPITRE 10
Le grand cirque

9 h 35. Marcus jette un dernier coup d'œil dans le couloir. Personne en vue. C'est le moment de passer à l'action. Pour faire le vide, l'adolescent ferme les yeux et visualise une dernière fois les gestes qu'il s'apprête à faire. Bouillonnant d'énergie, il entre dans un état second.

D'un coup sec, Spartacus2908 brise le petit cylindre de protection et tire la manette. Stridente, la sonnerie envahit aussitôt l'espace, interrompant instantanément les activités de la polyvalente.

Le gladiateur a l'impression que son cœur va exploser dans sa poitrine. Il en tremble. Pour se calmer, il prend quelques grandes inspirations : « Le plan, je dois suivre le plan et tout se passera bien », se répète-t-il.

Des voix et des cris s'élèvent des classes. Les portes s'ouvrent. Les enseignants essaient de garder le contrôle de leurs groupes pour les guider vers la sortie la plus proche. Tous connaissent le plan d'évacuation. Au cours des dernières années, la sécurité a été renforcée. Chaque alerte est prise au sérieux. L'école ne veut courir aucun risque. Et là, ce n'est pas un exercice, c'est la réalité. Dans quelle partie de l'école l'incendie s'est-il déclaré ? Quelle est son ampleur ? Bloque-t-il des sorties ? Ces questions se répandent dans les esprits à la vitesse de l'éclair. La fébrilité, l'inquiétude et la peur précipitent les gestes et obscurcissent les jugements. C'est le début de la panique.

Profitant de la confusion générale, Spartacus2908 se glisse dans le flot d'élèves qui se répand dans le couloir. Dos voûté et tête baissée pour éviter d'être filmé par les caméras de surveillance. Lui, par contre, enregistre tout depuis le début. Calé dans la poche gauche de sa chemise, son iPod capte l'action, sans jamais dévoiler l'identité de celui qui provoque ce grand désordre.

CAM
01

Alarme déclenchée
secteur cafétéria

Alarme déclenchée
secteur gymnase

Alarme déclenchée
secteur local concierge

Une exigence du défi pour garantir l'anonymat du gladiateur et éviter d'éventuels problèmes avec la justice, au cas où la vidéo serait piratée et rediffusée ailleurs que sur le site du jeu.

Les élèves pressent le pas, la sortie est proche. Par dizaines, ils se regroupent au fond de la cour, le plus loin possible du bâtiment. Le brouhaha assourdissant qui se dégage de cette foule agitée est aussitôt couvert par les sirènes des camions de pompiers. Dans la foulée, deux voitures de police se pointent. Quelle pagaille ! Un véritable spectacle sons et lumières.

Spartacus2908 n'en perd pas une image, pas un son. La main sur la poche de sa chemise, il pointe discrètement son iPod pour filmer un maximum de séquences. Les pompiers qui se ruent dans l'école. Les policiers qui établissent un périmètre de sécurité. Le visage inquiet du directeur ; celui indifférent du prof de gym ; celui affolé de la prof de math ; celui désemparé du prof de chimie ; celui rassurant du chef des pompiers, et celui inquisiteur du sergent de police. Debout sur l'asphalte, l'attente est longue pour les 1500 personnes présentes. Et la faible pluie qui s'est mise à tomber n'améliore rien à l'affaire.

Après quarante minutes dehors, l'agitation et l'impatience sont à leur comble :

— Ras-le-bol ! marmonne un garçon. Pourquoi ils ne nous laissent pas rentrer chez nous ?

— Que font les pompiers ? proteste un autre. Ça fait trois quarts d'heure qu'ils sont entrés là-dedans !

— On n'a même pas eu le temps de prendre nos manteaux, se plaint une fille. Il pleut et on gèle !

— Soyez patients, réplique une des enseignantes. Les pompiers font de leur mieux. Ils doivent tout vérifier. C'est pour notre sécurité.

La nouvelle tombe enfin : fausse alarme. Il n'y a pas de feu. Les élèves peuvent retourner dans leurs classes. Ça éternue, ça renifle, ça bougonne. Ils sont mouillés, décoiffés et fatigués. Ils ont faim. Mais, au fond, ils sont surtout déçus qu'on ne les renvoie pas chez eux.

Une journée d'école en moins, c'est toujours bon à prendre.

Continuant de filmer, Spartacus2908 se dit que ces images cocasses d'ados frustrés ne peuvent que lui rapporter quelques points de plus.

Le soir même, il publie son nouveau film sur le site du jeu. Intitulé **D8 - Déclenchement de l'alarme d'incendie**, son exploit remporte un vif succès. Plus de 2500 votes. **12 403 POINTS**

— Je n'en reviens pas ! murmure Marcus en
se rongeant nerveusement les ongles. Avec
ce huitième défi, j'atteins 29 110 points ! Je me
rapproche du gros lot. J'espère que ça fait bien
suer Belzébuth666 et Sĸorpió !

CHAPITRE 11
Une victoire éclatante

Les jours qui suivent, Marcus a l'impression de flotter sur un nuage. Il savoure son éclatante réussite. Une victoire qui a pourtant failli se transformer en cauchemar.

À la suite de l'incident, il y a eu une enquête, car on ne déclenche jamais impunément une alarme d'incendie. Faire déplacer des pompiers et des policiers coûte très cher. Sans compter qu'une journée d'école a été perdue et qu'une élève s'est blessée dans l'évacuation. La direction de l'école et la police ne peuvent tolérer de tels comportements.

Le lendemain matin, le directeur de l'école s'est adressé aux 1400 élèves rassemblés dans le gymnase :

— Pour éviter que cela se reproduise, le coupable doit être démasqué et assumer les conséquences de son geste !

— Si vous savez quelque chose ou que vous avez vu quelque chose qui pourrait aider à identifier le coupable, votre devoir est de parler ! ajoute aussitôt un des trois policiers présents. On ne s'amuse pas avec la sécurité des autres.

Marcus n'avait jamais pensé à ce qui se passerait après la réussite de son défi. Aveuglé par l'accomplissement de sa mission, il n'avait envisagé que les conséquences d'un échec. Bousculer la routine de la polyvalente en déclenchant une fausse alarme ne lui semblait pas bien grave. Dans son esprit, ce geste relevait plus de la farce que du mauvais coup. Comment aurait-il pu imaginer que ça irait jusqu'à une enquête ?

— Ce matin, le brigadier Laflèche et ses deux collègues vont faire le tour des classes, a poursuivi le directeur. Si vous avez remarqué quelque chose

de suspect ou noté un comportement inhabituel,
il faudra le leur signaler.

Marcus a soudain eu très chaud. Il avait l'impression
d'être pris au piège. La pression montait.

— De mon côté, a conclu le directeur, je vais visionner
toutes les vidéos de surveillance des derniers jours.
J'y trouverai peut-être des indices.

Dans la tête de Marcus, ces mots ont résonné comme
une menace. Par chance, le retour en classe lui
a donné un peu de répit. Juste assez pour retrouver
son calme et se répéter qu'ils ne trouveraient aucune
preuve. L'exécution de son plan était parfaite.

Et il avait raison. Trois jours plus tard, la police et
l'école abandonnaient l'affaire. Ils n'avaient trouvé
aucune piste.

Depuis, Marcus se sent puissant, futé et courageux.

« De belles qualités pour un gladiateur, se répète-t-il. Elles me seront sûrement utiles pour réaliser mon prochain défi. Quelque chose de plus exigeant ou de plus risqué, j'imagine. »

Son intuition ne le trompe pas. Beaucoup plus périlleuse, sa prochaine tâche sera aussi délicate que difficile à accomplir.

Mercredi, 18 h 30. Son application *Altius* clignote. Le neuvième défi tombe enfin !

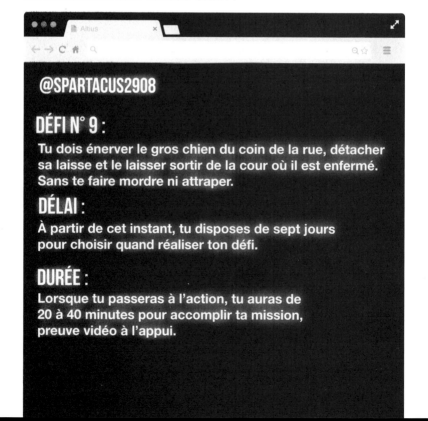

@SPARTACUS2908

DÉFI N° 9 :
Tu dois énerver le gros chien du coin de la rue, détacher sa laisse et le laisser sortir de la cour où il est enfermé. Sans te faire mordre ni attraper.

DÉLAI :
À partir de cet instant, tu disposes de sept jours pour choisir quand réaliser ton défi.

DURÉE :
Lorsque tu passeras à l'action, tu auras de 20 à 40 minutes pour accomplir ta mission, preuve vidéo à l'appui.

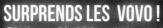

SURPRENDS LES VOVO !

Obtiens 20 000 points ou plus et tu en recevras 3500 en prime !

TOUCHE LE CHIEN :

5000 autres points seront ajoutés !

AVERTISSEMENT :

Si le chien te mord, il y aura une déduction de 10 000 points sur la note obtenue.

ACCEPTER

— Aïe ! Je sais que ce maudit chien est dangereux ! Il est agressif et plutôt détestable, tout comme son maître, qui se dispute souvent avec ses voisins. Je ne m'attendais pas à ça.

Marcus s'interroge. Il exprime son inquiétude à la caméra :

— C'est très risqué, complètement fou ! Je ne suis pas sûr de vouloir tenter ça. Si le chien m'attaque, il peut me blesser gravement, me défigurer. Brrr... Je me vois mal déambuler dans les couloirs de la polyvalente avec une gueule labourée de monstre.

Prostré, il reste de longues minutes à peser le pour et le contre :

« Plutôt casse-cou comme défi », se répète-t-il.

« Mais il y a le bonus… murmure Spartacus2908 à son oreille. Avec un bon score, on peut sûrement dépasser les 50 000 points. Et avec les primes, on pourrait même atteindre les 60 000 points ! »

Pour vs Contre

Pour 👍	Contre 👎
Un super défi à relever !	Un défi très dangereux et risqué.
Me dépasser.	Si le chien m'attrape, ça va être très douloureux.
Impressionner les Vovos.	Je pourrais être gravement blessé.
Un défi spectaculaire et impressionnant = plus de votes et plus de points.	Ou même défiguré.
Possibilité de gagner des bonus intéressants.	Ou amputé de quelques doigts ou orteils.
Réussir ce défi me rapproche de mon objectif d'atteindre les 100 000 points.	Mes parents seraient furieux.
Si je ne remplis pas ce défi, je perds tous mes points et je recommence à zéro.	Un défi difficile à réaliser.
Être fier de moi.	
Devenir un des meilleurs gladiateurs virtuels du jeu.	
Devenir Spartacus un peu plus encore.	
Clouer le bec à Belzébuth et Skorpió.	

10 👍

7 👎

CHAPITRE 12
Une corrida canine

« Caméra un, fixée ! » confirme Marcus en vérifiant la solidité de son bricolage. Attaché solidement à une branche de l'arbre qui surplombe la cour du molosse, l'appareil vidéo est prêt à enregistrer.

Dans l'espoir de capter quelques images spectaculaires et de décrocher un maximum de points, il attache ensuite la GoPro à son poignet droit. Il ajuste ses jambières, ses gants et son casque de hockey. Il a choisi un mardi matin pour passer à l'action. Le quartier est désert. Tout le monde est au travail ou à l'école. Sauf lui, Spartacus2908, officiellement terrassé par une gastro.

Assez grave pour un garçon de son âge, la voix de Marcus peut facilement passer pour celle d'un adulte, au téléphone. La secrétaire de l'école n'y a vu que du feu. Ses parents sont au boulot, et sa sœur est partie tôt à cause d'une sortie de sa classe au musée. Marcus est libre. Il peut relever son défi en toute tranquillité, sans précipitation.

Toute la fin de semaine, il est passé et repassé à bicyclette dans le secteur pour faire du repérage. Il a photographié et étudié les moindres coins et recoins de la cour, et des maisons avoisinantes.

La niche du chien est située sur la gauche, près de la barrière. La porte de la clôture, elle, se trouve sur la droite, fermée par un cadenas. Deux mètres trop courte, la laisse du chien ne lui permet pas d'atteindre la porte. Ce qui fait bien l'affaire du gladiateur-hockeyeur.

Marcus jette un dernier coup d'œil par-dessus la clôture. Le chien aboie et tire sur sa corde comme un animal enragé. Il est furieux. Il a repéré l'adolescent dès son arrivée. Depuis, il s'agite et bondit en tous sens, ce qui le rend encore plus menaçant. Marcus a décidé de se protéger avec son équipement de hockey. On ne sait jamais.

Sac à dos, bouffe, corde, marteau, bâton de hockey et poubelle, tout est en place. Prenant une profonde inspiration, il allume les deux caméras.

Renversant la grosse poubelle en métal du voisin devant la porte de la cour, il grimpe et enjambe la clôture. Ce n'est pas facile à faire avec un équipement de gardien de but sur le dos. À califourchon sur la porte, il tente de passer de l'autre côté. Et c'est alors qu'il fait le faux mouvement, le geste maladroit tant redouté. Sa jambière droite se coince. Il chute lourdement sur le dos. Dans l'antre de la bête !

Affolé, Marcus ouvre les yeux. La gueule du molosse est à trente centimètres à peine de son visage.

Le chien écume de rage. L'adolescent sent l'haleine fétide de la bête. Il est terrifié.

Par chance, la laisse retient le chien. Il s'étrangle en la tirant de toutes ses forces, mais Marcus est hors de portée.

Lentement, il se redresse et sort un contenant en plastique de son sac à dos. L'odeur de la viande fraîche allèche le chien. Ses aboiements se transforment en gémissements.

— As-tu faim ? demande Marcus en laissant tomber un gros morceau de viande devant le chien. C'est pour ça que tu jappes tout le temps ?
Es-tu maltraité ? poursuit-il en lui donnant un second morceau, puis un troisième.

L'animal s'est calmé. Son regard s'est adouci.
Il mâche ses cubes de viande avec avidité.
Et il est à portée de main…

— C'est 5000 points de bonus si je te touche, murmure Spartacus2908. C'est le moment ou jamais.

Enlevant le gant de sa main gauche, il tend les doigts vers la tête de l'animal. De la main droite, il pointe sa caméra pour capturer ce geste aussi héroïque que payant.

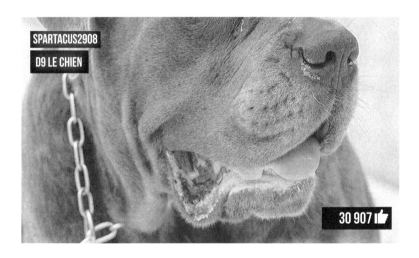

SPARTACUS2908

D9 LE CHIEN

30 907 👍

À peine a-t-il posé la main sur sa tête que, dans un réflexe, le chien tente de lui mordre le bras. Un claquement sec et puissant qui terrifie l'adolescent. Il s'en est fallu de peu. Quelques centimètres à peine, et cette folle escapade se terminait à l'hôpital.

Reprenant ses esprits, Spartacus2908 jette les morceaux de viande qu'il lui reste près de la niche :
— La bouffe que je t'ai donnée t'a calmé, mais ça ne fait pas de nous des amis pour autant, hein ? Ton instinct t'oblige à faire ton boulot de gardien.

Débarrassé du chien pour quelques instants, Marcus peut maintenant se concentrer sur l'ouverture de la porte de clôture. Sortant le marteau de son sac à dos, il tape de toutes ses forces sur le cadenas. Petit et rouillé, celui-ci ne résiste pas longtemps. Trois coups suffisent pour en venir à bout.

Le gladiateur ouvre la porte. Cela ravive l'agressivité du chien.

Saisissant la poubelle, Marcus la place à proximité de la remise de jardin de la maison voisine. Sans les jambières cette fois, il escalade cette seconde clôture et se hisse sur le toit de la cabane.

Tirant sur la corde qu'il s'est attachée autour du poignet, il récupère son bâton de hockey. Bâton au bout duquel il a fixé un *exacto* à la lame acérée avec du ruban adhésif.

Allongé de tout son long sur le toit de la remise, l'adolescent appuie son torse sur le haut de la clôture qui sépare les deux jardins. Ainsi en équilibre, il surplombe la niche du chien. L'animal saute dans tous les sens. Ses dents claquent, et ses aboiements redoublent d'intensité. Cet intrus le rend fou. D'un geste vif et précis, le gladiateur tranche la laisse en cuir, libérant le chien. Surpris d'être soudain libre dans ses mouvements, l'animal cesse d'aboyer et se fige. La porte ouverte l'attire comme un aimant. Il s'engouffre aussitôt dans la rue et s'enfuit à la vitesse de l'éclair. En quelques secondes, il a disparu.

« Dix-huit minutes, constate Spartacus2908. Défi réalisé dans les temps. Bravo, champion ! »

CHAPITRE 13
L'ultime folie

Une heure après la mise en ligne de la vidéo,
les résultats tombent. La confrontation avec le chien
remporte un énorme succès auprès des 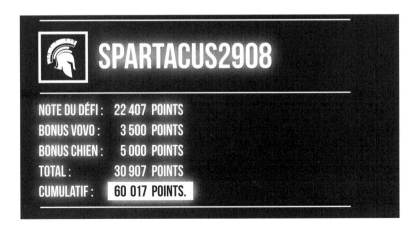VOVO.
Ils ne tarissent pas d'éloges à propos de
l'ingéniosité, du courage et de l'exploit du gladiateur.
Spartacus2908 triomphe, Marcus est fou de joie :
— Là, Belzé et Scorpy vont en faire une jaunisse !
J'aimerais voir l'expression de leur face de faux jetons
lorsqu'ils découvriront mon score. Ils vont en ravaler
leur venin, les crotales !

SPARTACUS2908

NOTE DU DÉFI :	22 407 POINTS
BONUS VOVO :	3 500 POINTS
BONUS CHIEN :	5 000 POINTS
TOTAL :	30 907 POINTS
CUMULATIF :	60 017 POINTS.

« Un ou deux autres défis de plus et ce sera le gros lot ! » pense Marcus.

L'adolescent est tendu comme une corde de violon. Il sent bouillonner en lui une énergie et une détermination qu'il n'a jamais connues auparavant. Une rage de gagner et d'être le meilleur, le plus fort. Le réel et le virtuel s'entremêlent. La frontière entre l'adolescent et le gladiateur est de plus en plus mince. Sous l'emprise de Spartacus2908, le garçon ressent un besoin incontrôlable de décrocher le grand prix. Il veut se prouver qu'il en est capable, qu'il est supérieur à tous les nuls qui échouent. Ces pensées tournent en boucle dans sa tête vingt-quatre heures sur vingt-quatre.

Plus rien n'a de saveur ni d'importance à ses yeux. En peu de temps, ses défis *Altius* sont devenus sa plus grande source de motivation. Son principal carburant. Tel un joueur compulsif, il n'attend plus que le prochain moment de jouer, de relever le nouveau défi et d'accomplir l'exploit. Il est devenu complètement accro au jeu.

Sa vie virtuelle est devenue tellement plus intense et intéressante que sa vie normale. Grâce à son *alter ego,* Marcus est célèbre et admiré. Il a des centaines d'amis parmi les abonnés du site. Les commentaires positifs, les J'aime et les *Thumbs up* se multiplient à chaque visionnement de ses performances sous le pseudo de Spartacus2908. Sur le forum, ses détracteurs ont même cessé de se manifester. Victoire sur toute la ligne !

Aveuglé par ce succès, Marcus ne s'aperçoit pas que, petit à petit, il se coupe encore plus des autres et qu'il s'isole. Spartacus2908 est en train de lui voler sa vie.

Autour de lui, personne ne se doute des défis tordus qu'il relève ni de sa dépendance. Car, à l'exception des maîtres du jeu, personne n'a conscience des efforts de l'adolescent. Satisfaire les exigences de ces gourous immatériels lui complique terriblement l'existence. Plutôt malin, Marcus arrive encore à donner l'impression qu'il mène une vie normale. Mais pour combien de temps ?

Ce jeu est tellement excitant. Rien d'autre ne provoque en lui une poussée d'adrénaline d'une aussi forte intensité. Il n'est pas question d'arrêter avant d'avoir empoché le butin. Spartacus2908 doit réussir sa quête. Il sera toujours temps de revenir à la vie normale, après son succès.

Quatre jours plus tard, les yeux de Spartacus2908 s'illuminent. Le dixième défi s'affiche enfin sur l'écran de l'ordinateur.

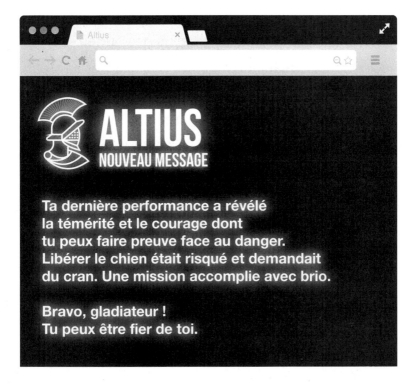

Ton dixième défi va te demander de l'agilité et de la force. Physiquement, il sera beaucoup plus exigeant que tous les autres. Il faudra bien te préparer et prendre un maximum de précautions pour éviter de te blesser. Car ce défi est audacieux et dangereux. Si tu le réussis, tu deviendras un gladiateur de légende.

Es-tu capable de continuer ton ascension ? D'aller toujours plus haut ? Prouve-nous que tu es le meilleur et que tu possèdes la détermination et le courage d'un champion.

OSE !

DÉFI N° 10 :

Escalader à mains nues les quatre étages de la bibliothèque de ton quartier pour aller décrocher le drapeau à feuille d'érable qui flotte sur son toit. Puis en redescendre de la façon que tu voudras, sans être vu ni intercepté par un gardien de sécurité ou par la police.

DÉLAI :

Une semaine à partir de cet instant.

DURÉE :

Trois heures à partir du moment où tu cliqueras
sur l'onglet « Compte à rebours » et le moment
où tu téléchargeras ta vidéo sur le site.

AVERTISSEMENT :

Ce que tu vas faire n'étant pas permis, tu ne dois
rien détériorer ou briser pendant la réalisation
de ton défi. Si ces consignes ne sont pas respectées
à la lettre, tu auras échoué et la totalité
de tes points sera effacée.

PRIME DE RISQUE :

Cinq autres drapeaux flottent autour de celui
que tu dois décrocher. Obtiens un bonus de
500 points pour chaque autre étendard
que tu ôteras de son poteau.

Sois imaginatif. Impressionne-nous !
Tu décrocheras peut-être même

LE BONUS
DES MAÎTRES !

CHAPITRE 14
Une ascension périlleuse

« Le bonus des maîtres ? Je ne sais pas ce que ça rapporte, mais ça me plaît. Ça sonne bien ! » se réjouit Marcus.

Réfléchissant à haute voix, il confie à la caméra :

— Sur le plan technique, le défi ne va pas être facile. Je connais bien l'édifice de la bibliothèque, mais je ne l'ai jamais observé dans le but de l'escalader. Pour commencer, il faut que j'étudie le bâtiment et que je détermine le meilleur moment pour tenter l'ascension. Pour éviter de me casser le cou, je dois aussi me faire une liste et rassembler le matériel qui me servira à monter et à redescendre le plus sûrement possible. Pour finir, il restera à trouver comment filmer la scène.

Regardant sa montre, l'adolescent poursuit :

— Je dispose de sept jours pour accomplir cette
épreuve. C'est court. Il n'y a pas une minute
à perdre !

Prétextant devoir rapporter des livres et en emprunter
de nouveaux, Marcus passe une bonne partie de son
dimanche après-midi à la bibliothèque. Situé
à quelques rues à peine de chez lui, l'édifice municipal
est entouré d'un petit parc. Très fréquenté le jour et la
fin de semaine, le site est par contre déserté en soirée.
Le meilleur moment pour passer à l'action.

De retour à la maison, Marcus s'acquitte de quelques
corvées, l'esprit ailleurs. Avec Spartacus2908, il
élabore déjà sa stratégie. Par chance, la bibliothèque
est aménagée dans un ancien édifice en pierre, dans
le style des bâtiments historiques du Vieux-Québec.
Entre les rangées de blocs parfaitement alignés, des
fentes profondes permettent de glisser les doigts et
le bout des chaussures. De nombreuses fenêtres,

des appuis et des renfoncements faciliteront aussi beaucoup l'ascension. Le plus grand danger ne sera pas l'escalade, mais le vertige. Arrivé sur le toit plat, le gladiateur ne devrait pas avoir de difficulté à décrocher les drapeaux.

Ce soir-là, Marcus s'endort confiant, Spartacus2908 sera à la hauteur.

C'est le vendredi soir, vers 19 h 45, que Spartacus décide de passer à l'action. À cette heure, la bibliothèque et le parc sont déserts. Et, comme ses parents, la plupart des gens sont au restaurant ou en train de magasiner. Sa sœur passe la soirée chez une amie. Marcus est officiellement seul à la maison, occupé à revoir la trilogie du *Seigneur des anneaux* en dégustant une pizza.

Si tout se passe bien, une heure suffira pour relever le défi. Habillé de gris pour se confondre avec les pierres de l'édifice, Spartacus2908 porte un casque de hockey surmonté de la GoPro. Dans son sac à dos, il a rassemblé des gants, l'autre caméra avec son trépied, un grand sac en plastique, un canif et une bobine de fil de nylon ultrarésistant. Une corde enroulée autour du bras, il a aussi les poches bourrées de craie de gymnastique, pour éviter que ses doigts glissent pendant l'ascension. Ainsi équipé, il sort discrètement de chez lui, en se faufilant par le trou dans la haie de cèdres, au fond du jardin.

Dix minutes plus tard, le gladiateur arrive à la bibliothèque. En un instant, il installe la caméra face au mur qu'il va escalader, le coin le moins fréquenté de l'édifice. Puis il noue le fil de nylon à un bout de la corde et attache l'autre extrémité à sa ceinture.

Ainsi, la corde s'élèvera avec lui sans gêner ses mouvements. Plongeant ses mains dans ses poches, il les recouvre de craie.

Assurant sa prise entre les premiers moellons, Spartacus2908 commence à se hisser, lentement, avec prudence. En quelques secondes à peine, il s'élève au-dessus du rez-de-chaussée. Rassuré, il prend pied sur le rebord de la fenêtre du premier. Le deuxième étage est atteint tout aussi facilement. Repoudrant ses mains, le gladiateur attaque le troisième niveau. Il n'en revient pas : trois étages en dix minutes !

À l'ascension du quatrième palier, les choses se corsent. Aspiré par le vide, Spartacus2908 commence à avoir le vertige. « Il ne faut pas que je regarde en bas, se répète-t-il. Je dois me concentrer sur cette corniche à atteindre. »

D'un geste hésitant, il tente d'agripper le rebord de pierre, mais ses doigts glissent. Son pied dérape et, l'espace d'une seconde, il a l'impression qu'il va chuter. D'un coup de reins, il se plaque au mur et reprend son souffle. Il reste suspendu entre ciel et terre une minute, conscient qu'il vient d'éviter la catastrophe.

Avec des gestes lents, le grimpeur repoudre ses mains. Déterminé, il s'accroche fermement aux dernières aspérités et se hisse sur le toit, où il se laisse tomber sur le côté gauche.

Oubliant la douleur qu'il ressent à l'épaule, il consulte sa montre. « Il est 20 h 20. C'est bon. Je suis dans les temps. » Sans attendre, il récupère la corde suspendue à sa ceinture et la fixe solidement à l'un des poteaux. Puis il enlève son casque, qu'il place à distance afin de bien capter la scène avec sa GoPro.

Un à un, il décroche les six drapeaux, qu'il plie soigneusement. Il les glisse ensuite dans le grand sac en plastique qu'il referme et dépose au pied d'un des mâts. Le but étant de les décrocher sans les abîmer, et non de les voler, il répond ainsi pleinement aux exigences de sa mission.

« Maintenant 20 h 45, il est temps de redescendre. »
Jalonnée de nœuds pour éviter une glissade
incontrôlée, la corde pend le long du mur. Équipé
de gants, Spartacus2908 descend en rappel, par
petits bonds. En moins d'une minute, il atteint le sol.
Il récupère la caméra et le trépied, qu'il range dans
son sac à dos avec son casque et ses gants.

Lorsqu'il arrive chez lui, l'horloge indique 21 h 10.
« Excellent ! Mes parents ne sont pas encore rentrés.
Il me reste une heure et demie pour diffuser ma vidéo
sur le site. »

Trente minutes plus tard, le montage de
D10 - L'escalade est terminé.

Dès sa publication sur le site, la vidéo de
Spartacus2908 fait fureur. Les votes se multiplient
à une vitesse impressionnante pour totaliser 27 628
points ! Un score auquel s'ajoute aussitôt le bonus
pour avoir décroché les autres drapeaux : 2500 points
supplémentaires. Cumulatif : 90 145 points.

— Je ne suis plus très loin du but, se réjouit Marcus. Ça sent le gros lot !

L'écran de son ordinateur devient soudain mauve foncé, puis noir. Un son strident retentit, suivi d'un éclair aveuglant. Ces mots apparaissent alors :

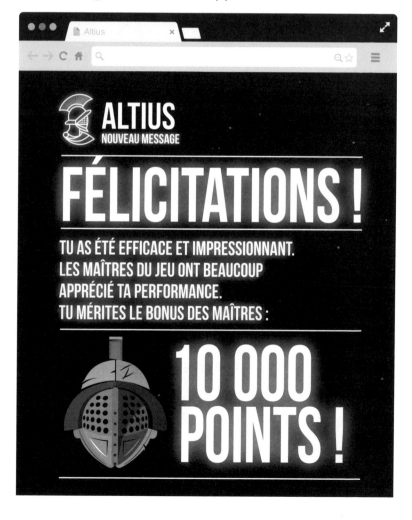

CHAPITRE 15
La spirale infernale

Marcus savait qu'il réussirait. Et il espère que ça fait bien suer tous les Belzébuth et les Sḱorpió de la planète. Quel bonheur ! Quel plaisir !

Étourdi, il contemple son écran d'ordinateur qui

clignote et change de couleur au rythme des feux d'artifice qui explosent. Il est hypnotisé par le chiffre magique qui vibre au premier plan.

Soudain, une animation apparaît à l'écran. Armée et casquée, une caricature de gladiateur trottine sur le sable d'une arène, sous les vivats de la foule et une sonnerie de trompette.

Tiré de sa contemplation, Marcus monte le son. Visiblement, le petit gladiateur s'apprête à dire quelque chose. Dans les gradins, le silence se fait. Fixant Marcus droit dans les yeux, le personnage s'adresse à lui :

Salut à toi, Spartacus2908 !
Grand vainqueur du premier
niveau des défis ALTIUS !
Tu viens de gagner
la somme de 10 000 $!

Accompagné d'un effet sonore percutant, le visage du gladiateur envahit d'un seul coup l'écran. Marcus sursaute. Balafré et borgne, il sourit de toutes ses dents jaunes et ajoute :

DEUX OPTIONS S'OFFRENT MAINTENANT À TOI :

Tu peux recevoir ton argent dans les quarante-huit heures. Il te sera livré en mains propres, dans une petite boîte en métal fermée par une combinaison que toi seul connaîtras. Elle contiendra 500 billets de 20 $.

Tu seras le seul à savoir que tu as reçu cet argent et à pouvoir en disposer.

Ta carrière de gladiateur virtuel se terminera dès la réception de ta récompense. Dès lors, tu ne pourras plus relever de défis, ton avatar sera retiré du jeu et l'accès à ton application ALTIUS te sera refusé. Ton compte sera bloqué, tu ne pourras plus jamais jouer.

> **Pour recevoir ce qui te revient, tu n'as plus qu'à cliquer sur l'onglet « Accepter mon prix ».**

Marquant une pause, le gladiateur observe Marcus. Énigmatique, il se frotte le menton, comme s'il essayait de sonder l'esprit de Spartacus2908. Il prononce alors ces mots :

MAIS TU AS UN AUTRE CHOIX :

Tu renonces à tes 10 000 $ et tu deviens aussitôt admissible à en gagner dix fois plus ! Oui, 100 000 $! Peux-tu imaginer posséder une telle somme ?

100 000 $

Si tu décides de remettre en jeu l'argent que tu viens de gagner, ta carrière de gladiateur virtuel continue, avec de nouveaux défis captivants à relever. Nouvel objectif : atteindre les 500 000 points qui te permettront de décrocher le méga gros lot.

Les épreuves seront bien sûr plus difficiles et spectaculaires que celles réalisées jusqu'ici. Mais pour un gladiateur de ta trempe, rien n'est impossible.

> Tu as 48 heures pour réfléchir et nous donner ta réponse : recevoir ton dû et mettre fin à ta carrière de gladiateur virtuel
>
> **OU**
>
> poursuivre ta quête, devenir le meilleur et t'enrichir !

Remettant son casque, le gladiateur tourne le dos à Marcus. Il trottine vers le fond de l'écran où, avant de disparaître, il ajoute :

> Réfléchis bien, gladiateur, et pose-toi les bonnes questions. De quoi es-tu vraiment capable ?
>
> **AS-TU L'ÉTOFFE D'UN HÉROS ?**

CHAPITRE 16
Pour ou contre ?

Marcus est stupéfait. Il n'en revient pas. Ses 10 000 $ pourraient se transformer en 100 000 ! Quelle perspective alléchante ! Quel choix déchirant ! Et il ne dispose que de deux jours pour se décider. De façon définitive et irréversible.

Dans sa tête, les pensées tournent à une vitesse vertigineuse. Stressé, il se confie une fois de plus à sa caméra :

— Et si je perds tout ? Je risque de m'en vouloir très longtemps. Mais si je ne tente pas ma chance, je risque aussi de le regretter toute ma vie ! Parce que, si je réussis, à moi la fortune !

Après une nuit agitée, Marcus se lève, sans avoir réussi à prendre une décision. C'est le choix le plus difficile qu'il ait jamais eu à faire.

« Et si je demandais leur avis aux VOVO ? Leurs commentaires m'aideraient peut-être à prendre une décision, songe Marcus. Après tout, ce sont mes fans, ma communauté d'internautes. Enfin, pour la plupart. »

Sans attendre, il diffuse un message sur sa page *Altius* :

20 avril

Spartacus2908

Ça y est, les votants, grâce à vous, j'ai atteint les 100 000 points ! J'arrête ou je continue ? Qu'en pensez-vous ?

20 avril

Méduz7

C Kool ! Lach'pas, Spart !

20 avril

LoveDoll

Enkor ! Enkor !

20 avril

SuperKev

T l'meilleur, continue !

20 avril

WarMachine

N'arrête pas, man ! T capable !

20 avril

BrookeM —

Tu es le plus fort, Spartacus2908 !
J'adore tes vidéos.

20 avril

Cécilia6

Moi aussi !
Je vote toujours pour toi !

20 avril

XXavierXX

G adoré le défi du chien.
T passé proche de la cata !

20 avril

SébAs♠

Ouais, c'était excitant à voir ! On en veut
d'autres, comme celui-là. Continue !

20 avril

Belzébuth666

Que tous ces témoignages sont touchants.
Petit Spartacus2908 doit être ému ! Snif !
J'en ai la larme à l'œil.

113

20 avril

Skorpió

Oui mais, pour continuer, ça prend des c…
En as-tu, petit Spartacus2908 ?

Ça y est, ces deux-là s'en mêlent, constate avec regret Marcus. Ça va dégénérer.

20 avril

Kill05

Moi, j'aurais bien aimé que le chien le bouffe, ce minable ! Comment a-t-il osé prendre pour pseudo le nom du plus valeureux de tous les gladiateurs ?

20 avril

Destructo

T'as raison, Kill05 ! Avec la gueule qu'il a, c'est encore plus insultant pour le grand Spartacus2908, le vrai ! Celui qui avait des muscles et de l'allure.

20 avril

Belzébuth666

Mais elle s'en prend plein les dents, la terreur des mémés et des restaurants chinois !

20 avril

Destructo

Lol ! Le libérateur de chien-chien se fait secouer les puces !

20 avril

BrookeM

Bande de nuls ! Sangsues du Net !
Arrêtez de vous en prendre à
Spartacus2908. Il est plus intelligent
et courageux que vous tous réunis !

20 avril

Cécilia6

Ces larves sont jalouses de son succès.
Il est si facile de dénigrer et d'insulter les
autres, caché derrière son écran.
Je vote toujours pour toi !

20 avril

Skorpió

OMG ! Tremblez, les gars !
Le fan-club de Sparta se déchaîne !

20 avril

Kill05

Probablement sa petite sœur
et sa grand-mère qui se sont
inscrites sur le site
pour le défendre !

20 avril

Belzébuth666

Ce type, C 1 gros 0 ! Il n'osera
pas aller plus loin.

Sќorpió
La vérité, c'est qu'il n'en est pas capable. Ce gars-là, c'est personne. Il n'a plus sa place dans le jeu.

Piqué au vif, Marcus clique sur l'onglet

JE POURSUIS MA QUÊTE

qui clignote en haut de son écran.

« Bande d'abrutis ! Je vais vous montrer de quoi Spartacus2908 est vraiment capable ! »
Aussitôt, des bravos et des applaudissements éclatent. L'écran s'illumine et, dans un tourbillon coloré, une porte apparaît. Une flèche pointe vers la serrure. En un simple clic, Marcus plonge vers l'inconnu.

CHAPITRE 17
Le saut dans le vide

ALTIUS
NOUVEAU MESSAGE

Bravo, valeureux gladiateur, tu accèdes maintenant au second niveau du jeu.

De nouveaux défis sur mesure ont été préparés pour toi. Plus difficiles et périlleuses, ces missions te garantiront un maximum de points si tu les réussis dans les délais imposés. Elles vont te demander beaucoup plus de cran et d'audace.

ES-TU UN BATTANT ?

Au son des tambours cette fois, le gladiateur balafré revient à l'écran. Déroulant un parchemin, il le tend vers Marcus :

Marcus n'en croit pas ses yeux. S'adressant à l'avatar, il réplique :

— Hein ? Ce n'est pas croyable ! Vous ne pouvez pas me demander de faire quelque chose d'aussi dangereux ! C'est de la folie !

Tapotant sur l'écran, il enrage :

— Comment osez-vous m'imposer un défi aussi suicidaire ? C'est dégueulasse !

Annoncée par un roulement de tambour, une fenêtre s'ouvre au bas de l'écran. Le compte à rebours commence.

119 H : 59 M : 59 S

— Quoi ? Ça commence déjà ? Et j'ai seulement
jusqu'à vendredi pour réaliser cet exploit ! Ces
types-là sont malades, petit gladiateur ! Tu leur
diras de ma part et de celle de Spartacus2908.

Marcus n'a plus le choix : réussir ce défi ou perdre
tout ce qu'il a gagné. Il est piégé comme un rat.

Jeudi, 17 h. C'est l'enfer. Il fait gris, la chaussée est
mouillée, et le trafic est dense.

Spartacus2908 vérifie l'angle et attache la caméra
du mieux qu'il peut. Il est essentiel de bien capter
les images du premier coup – pas question de
recommencer deux fois un tel slalom.

Prenant de grandes inspirations, il ajuste son casque de hockey et ses gants. Il est nerveux. Enjambant la barrière, le gladiateur s'élance sur le monticule qui descend vers l'autoroute. Huit voies séparées par un petit mur de béton. Et des dizaines de véhicules qui circulent à une vitesse folle dans les deux sens.

OBJECTIF DU DÉFI :
traverser ce flot continu de voitures sans se faire écraser ni blesser.

L'adolescent s'approche lentement de la chaussée. Surpris, des automobilistes klaxonnent. Quelques chauffeurs changent brusquement de voie. Marcus en profite pour avancer. Il se réfugie sur la première ligne blanche pointillée, bien droit pour ne pas être accroché par un rétroviseur. Devant et derrière lui, les véhicules le frôlent. Le déplacement d'air créé par leur vitesse fouette son visage.

Certains tentent de ralentir, mais qu'une voiture file à 70 km/h plutôt qu'à 100 km/h ne change pas grand-chose pour un piéton. Le choc sera tout aussi violent et douloureux.

Au milieu d'un concert de klaxons et de crissements de pneus, Spartacus2908 bondit. Se faufilant entre deux voitures espacées, il atteint la seconde ligne pointillée. Horrifié, il évite de justesse un autobus qui passe à quelques centimètres à peine de son visage. Ses jambes tremblent, sa respiration est saccadée. Il a peur, mais il ne peut plus reculer. Le trafic s'est intensifié dans les deux premières voies.

Un ultime effort lui permet de traverser la quatrième voie et d'atteindre le muret en béton qui sépare les deux sections de l'autoroute. Essoufflé, Marcus se raccroche à la surface froide et rugueuse comme à une bouée. Dans son dos, le trafic est toujours aussi dense. Sur sa droite, un trou béant permet de traverser le grillage. Il se hisse sur le muret et se glisse lentement vers l'ouverture. Pas de chance : l'autre côté est aussi achalandé.

Plaqué contre le muret, il attend une occasion
de traverser les quatre autres voies. Un gigantesque
camion l'effleure. L'air qu'il déplace dans son sillage
projette le gladiateur au sol. Il s'égratigne la joue sur
le béton.

Il se redresse aussitôt, évitant de justesse un second
dix-huit roues. Son cœur bat la chamade.

« Il n'est pas question d'abandonner si près du but,
souffle Spartacus2908 à l'oreille du garçon. On doit
aller jusqu'au bout. Fonce ! »

En deux bonds, Marcus franchit la première voie.
À l'étroit sur la ligne pointillée, il oscille au rythme des
véhicules qui, tour à tour, frôle son torse et son dos.
Un bruit sec retentit. Un rétroviseur vient d'érafler son
casque. Quatre à cinq centimètres plus près, et son
aventure se terminait là.

Le gladiateur est étourdi, désorienté. Il vacille.
Les trois voies qui restent à passer lui semblent
infranchissables.

Et soudain, le miracle. Un trou, une accalmie. Aucune voiture sur les trois dernières bandes ! Sans hésiter, il se propulse en avant, chutant lourdement dans l'herbe. Sauvé !

CHAPITRE 18
Un dur retour
à la réalité

Marcus reste un long moment allongé sur le dos, dans l'herbe humide. Le ciel est gris, les vapeurs d'essence empestent, et il frissonne, trempé jusqu'aux os par l'orage qui vient d'éclater. Malgré tout, il se sent bien. Il est en vie et il a réussi. Le reste a peu d'importance.

C'est à ce moment-là qu'il se souvient.

« Merde ! La caméra ! J'espère que la pluie ne l'a pas endommagée. Si je n'ai pas de preuve, j'aurai risqué ma vie pour rien ! »

Au pas de course, il rejoint la rue qui longe l'autoroute et court jusqu'au viaduc situé un kilomètre plus loin. Il traverse le pont en hâte et refait le parcours en sens inverse. À bout de souffle, il arrive enfin près du poteau auquel il a fixé la caméra. Désespéré, il tombe à genoux :

— Merde, merde, merde, merde et merde ! On m'a volé ma caméra !

« C'est foutu, le délai expire demain matin et je ne pourrai pas mettre de preuve vidéo sur le site », songe Marcus.

— J'ai tout perdu ! hurle-t-il pour laisser sortir sa frustration et sa déception. Je suis vraiment nul ! J'aurais dû savoir m'arrêter et conserver ce que j'avais gagné. Et en plus, j'ai failli y rester ! Tout ça pour participer à un jeu complètement débile !
— Pour ça, tu as raison, mon gars, ce jeu est vraiment stupide.

Marcus se fige. Anxieux, il se retourne brusquement, prêt à se défendre ou à fuir.

Face à lui, quatre policiers s'approchent.

— Et ceux qui acceptent d'y jouer sont totalement inconscients, précise l'homme qui vient de parler. Comme ce garçon qui a essayé de passer du toit d'un édifice à un autre en marchant sur une poutre. Il s'est cassé plusieurs vertèbres en tombant de quinze mètres de haut. Il va se déplacer en fauteuil roulant pour le reste de ses jours.

Alertés de la présence d'un piéton sur l'autoroute, les policiers viennent d'arriver sur les lieux :
— Tu n'imaginais pas que ton ballet routier allait passer inaperçu, mon garçon. Tu as failli provoquer un terrible accident. Tu tentais de réaliser un défi du jeu *Altius*, c'est bien ça ?

Marcus est paralysé. Il se sent tellement mal. Entouré de ces hommes, il prend soudain conscience de la folie de son geste. Ici, on ne joue plus, c'est la réalité. Et il est seul à faire face à cette situation. Spartacus2908 ne viendra pas à son secours.

Il n'existe pas.

— Ou… oui, finit-il par articuler péniblement.

— On s'en doutait. Après ce que tu viens d'accomplir, tu as vraiment de la chance de t'en sortir entier. On va aller démêler tout ceci au poste.

Ouvrant la porte arrière de l'auto, il ajoute :

— Allez, monte.

Prénom : Marcus.
Nom : Chevalier.
Âge : 14 ans.
Adresse : 28, rue Durocher.

Indifférent, l'agent entre les informations dans son ordinateur. Autour d'eux, le poste de police grouille de monde.

Enveloppé dans une couverture, et un chocolat chaud entre les mains, Marcus attend l'arrivée de ses parents. Les voici qui s'avancent, en compagnie du sergent Courchesne, le policier qui l'a arrêté.
À des retrouvailles remplies d'émotions succèdent des explications un peu plus houleuses.

— Que faisais-tu sur l'autoroute ?

le questionne son père.

— Je… je jouais à un jeu… un jeu de défis,

marmonne Marcus, les yeux baissés.

— Un jeu ? Sur l'autoroute ? Mais tu es irresponsable !

Tu aurais pu te faire écraser !

— Tu es blessé à la joue ! s'inquiète sa mère.

Que s'est-il passé ?

Avec un ton rassurant, le sergent intervient :

— Ne vous inquiétez pas, madame, ce n'est qu'une

égratignure. Suivez-moi, nous allons parler en détail

de tout ceci dans un endroit plus calme.

CHAPITRE 19
Les aveux

Dans une salle d'interrogatoire, l'inspecteur Milan, secondé par le sergent, interroge Marcus en présence de ses parents :

— Quand as-tu commencé à jouer à ce jeu ?

— Il y a deux mois et demi environ.

— Pourquoi l'as-tu choisi ?

— J'étais souvent seul à la maison, je m'ennuyais. Et à l'école, tout le monde parlait d'*Altius*. Ils disaient qu'en y jouant on pouvait devenir célèbre et gagner beaucoup d'argent. Alors j'ai voulu essayer.

— Tu aurais dû nous en parler, l'interrompt son père. On te faisait confiance !

Honteux, Marcus se renfonce dans sa chaise.

Posant sa main sur l'épaule de l'homme, le sergent Courchesne lui murmure à l'oreille :

— Je comprends votre déception et votre colère, monsieur Chevalier, mais, pour l'instant, il est préférable que vous n'interveniez pas dans cette discussion. Vous savez, votre fils se sent très mal en ce moment. Il est en train de réaliser qu'il a fait de très grosses bêtises. L'inspecteur essaie de le mettre en confiance pour qu'il nous raconte ce qui s'est passé. Lui mettre de la pression ne nous aidera pas.

— D'accord. Excusez-moi, sergent.

— Reprenons, mon garçon. As-tu relevé beaucoup de défis ?

— Aujourd'hui, c'était le onzième.

— Onze ! Tu sembles doué. Est-il exact que ce sont les responsables du jeu qui fixent les défis ?

— Oui.

— Et quel genre de défis t'ont-ils lancés ?

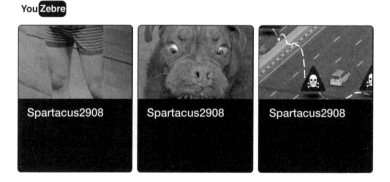

You Zebre

Spartacus2908 Spartacus2908 Spartacus2908

Intimidé, Marcus hésite. Il est plus facile de se confier à une caméra qu'à une personne, surtout lorsqu'il s'agit de ses parents et de la police. L'adolescent se questionne : est-il préférable de tout dire ou vaut-il mieux oublier certains détails ?

Comprenant son embarras, l'inspecteur le rassure :
— Ne t'en fais pas, mon garçon, nous ne sommes pas là pour te juger, mais pour t'aider. Parle librement.

Timidement, Marcus commence à raconter ses premiers défis. Avec le recul, il se sent ridicule. Il n'ose pas regarder ses parents ni l'inspecteur. Les yeux rivés sur la table, il relate chacune des épreuves accomplies, sans rien cacher.

Quinze minutes plus tard, il termine son récit par le vol de sa caméra et l'arrivée des policiers.

Bouleversés et furieux, ses parents s'agitent sur leurs sièges. Le sergent hoche la tête, impressionné par ce qu'il vient d'entendre. L'inspecteur, pour sa part, observe Marcus, mais reste silencieux. Il se lève et s'appuie sur le bord de la table, face à l'adolescent :

— Tu as beaucoup de chance, jeune homme. J'espère que tu es conscient que ton aventure aurait pu se terminer très mal. Ces dernières semaines, à la suite des paris du même genre, plusieurs adolescents se sont retrouvés à l'hôpital. Comprends-tu le danger et les risques auxquels tu t'es volontairement exposé ?

Marcus lève enfin la tête. Regardant le policier, il avoue :

— Je le comprends aujourd'hui, après avoir traversé l'autoroute. J'ai tellement eu peur.

Abattu, il ajoute :

— Je m'aperçois aussi que, tout au long de cette compétition ridicule, je ne me suis jamais soucié des autres. Pour moi, ils n'étaient que des obstacles à contourner, des personnages sans consistance qui faisaient partie du jeu. Je me suis moqué d'eux et je les ai mis en danger. J'étais prêt

à tout pour remplir mes missions. Je le regrette.
— Quelle conclusion tires-tu de cette histoire ?
— Que je ne suis pas Spartacus2908, mais bien Marcus. Marcus Chevalier, précise-t-il en s'excusant auprès de ses parents.

L'inspecteur Milan est satisfait :
— Ce que tu viens de raconter va beaucoup nous aider dans notre enquête.

Inquiet, Marcus bafouille :
— Je vais aller en prison ?
— Tu as effectivement fait quelques grosses bêtises. Mais, par chance, elles n'ont provoqué aucune catastrophe. Par contre, si les choses avaient mal tourné, les conséquences auraient été bien différentes. Accusé d'avoir commis une infraction criminelle, tu aurais été convoqué devant le tribunal de la jeunesse. Et là, tes ennuis auraient commencé.

Marcus blêmit.

— Mais, pour ta défense, je vais tenir compte
de circonstances atténuantes : tu as agi sous
l'influence d'un jeu malsain. Tu n'as blessé personne
et tu collabores pleinement avec les forces de
l'ordre. Pour ces raisons, je ne t'enverrai pas devant
le juge. Ce n'est pas toi que nous voulons arrêter,
ce sont ceux qui lancent ces défis en ligne.

Se retournant vers les Chevalier, il ajoute :

— En ce qui te concerne, Marcus, ce sont tes parents
qui vont décider des sanctions que tu mérites.
Aujourd'hui, tu t'en tires plutôt bien. J'espère que
cela te servira de leçon.

CHAPITRE 20
L'onde de choc

En raccompagnant les Chevalier chez eux, le sergent Courchesne leur confie que, après plusieurs accidents graves, le jeu de défis en ligne est sous haute surveillance. Dans tout le pays, une vaste enquête est en cours. L'objectif est d'identifier et de neutraliser les responsables avant qu'on ne déplore d'autres victimes.

Pour les besoins de l'enquête, la police saisit l'ordinateur et l'iPod de Marcus.

— L'analyse de ces appareils va nous aider à recouper des informations, précise le sergent. Ils te seront rendus lorsque l'enquête sera bouclée.

— Et vous pensez que ça va être long ? demande timidement le garçon.

— Ah, ça, on n'en sait rien. Trois à six mois au moins, peut-être même un an. Ça dépendra de la vitesse à laquelle les enquêteurs progresseront.

Marcus est sonné. Il ne peut pas vivre coupé du Net pendant une aussi longue période. Il ne survivra pas.

— C'est très bien ainsi, ajoute le père de l'ex-gladiateur virtuel. De toute façon, nous allons l'inscrire aux séances d'information sur les dangers du Web que vous nous avez recommandées.

Quelques semaines plus tard, l'analyse des appareils électroniques de Marcus et de quatre autres victimes révèle enfin leurs secrets. Pour imaginer des défis personnalisés pour chacun des concurrents, les créateurs du jeu ont eu une idée aussi géniale que diabolique. Gratuite, l'installation de l'application *Altius* incruste en secret un traceur équipé d'une caméra et d'un micro indétectables sur tous les appareils électroniques du participant. Grâce à ce virus d'un nouveau genre, les maîtres du jeu peuvent espionner leurs gladiateurs virtuels et apprendre à bien les connaître. Les ordinateurs, téléphones intelligents, iPod et iPad de ces derniers devenant une porte ouverte sur leur intimité, les meneurs de jeu sont en mesure de tout voir et entendre. Les données recueillies servent ensuite à élaborer des défis sur mesure, adaptés à la réalité et à l'environnement de chacun des concurrents.

Utilisés comme des cobayes, les gladiateurs sont poussés à relever des défis toujours plus osés et dangereux. Il en résulte des vidéos spectaculaires qui contribuent à grossir le nombre d'abonnés au site et à enrichir les propriétaires du jeu. Pris dans l'engrenage, les participants, eux, ne gagnent jamais rien. On leur promet de fabuleux gros lots pour mieux les appâter. Mais tout est conçu pour les inciter à se dépasser et à remettre leurs prix en jeu. En quête perpétuelle de reconnaissance et de richesse, personne ne réclame jamais sa récompense. Aveuglés par leur succès, les joueurs tombent tous dans le piège.

Pour les y aider, une cohorte d'abonnés fictifs les stimulent, les insultent, les encensent ou flattent leur ego sur le forum du site. Ils ont pour nom : Belzébuth666, Skorpió, Kill05, Destructo, Cécilia6, SuperG, Méduz7, Cerbère, Serena13…

Lorsque le scandale éclate, le jeu est aussitôt interdit. Le site ferme. À la suite de l'arrestation des concepteurs et des propriétaires d'*Altius*, l'affaire devient vite mondiale.

SIGNALEMENT:
MAUVAISE HALEINE
BELZÉBUTH666

SURNOMMÉ EL CYCLOPIO
SKORPIÓ

RECHERCHÉ
KILLOS

FACE DE TROLL
SUPER KEV

SUSPECT RECHERCHÉ
MÉDUZ7

NOTE AU DOSSIER :
RÉPOND EN ABOYANT
BROOKE M

DOUX COMME UN MARTEAU
CÉCILIA6

CYBER TRUAND
LOVEDOLL

EN CAVALE
DESTRUCTO

Les médias sont avides de nouvelles et de témoignages d'ex-gladiateurs. Tous les journalistes veulent parler aux plus connus d'entre eux, ceux qui ont collaboré avec la police pour démanteler ce réseau et retirer le jeu du marché. Avec Crixus2, Artémis, Romulus450 et Léa-La-Rousse, Spartacus2908 fait partie des élus.

Interviewé à plusieurs reprises, Marcus est maintenant connu dans le monde entier. Il a des milliers de demandes d'amitié sur son compte Facebook, bien plus que les 5000 autorisées. Et sans qu'il sache comment, ses vidéos se retrouvent sur YouTube, cumulant des centaines de milliers de J'aime. Il est même possible de visionner son dernier film, celui de sa périlleuse traversée de l'autoroute ! Le type qui lui a volé sa caméra a dû sauter de joie en apprenant qu'elle appartenait au célèbre Marcus Chevalier.
Il n'a pu résister à l'envie de partager avec tous les internautes l'ultime mission de Spartacus2908.
Quelle ironie : 532 436 visionnements !
De la pure folie !

Finalement, le jeu continue à un autre niveau, mais sans Marcus. Après cette diffusion massive sur le Net, les images de ses « exploits » sont maintenant au-delà de tout contrôle. Qui les visionnera ? Qu'en retireront-ils ? Marcus doit accepter qu'il ne puisse plus rien y faire. Trois mois plus tard, la poussière est un peu retombée.

Privé de son ordinateur et d'accès à Internet pendant plusieurs semaines, Marcus s'est progressivement libéré de son besoin de surfer sur la toile.
Aujourd'hui, il est plus amusé que fasciné par la popularité dont il a joui sur le Net et dans les médias sociaux. Chaque semaine, il constate que sa notoriété diminue et qu'il n'est plus le sujet à la mode. Il ne fait plus le *buzz*, il sera vite oublié. « Et c'est mieux ainsi, songe-t-il. Ça me permettra d'en finir avec cette histoire et de passer à autre chose. »

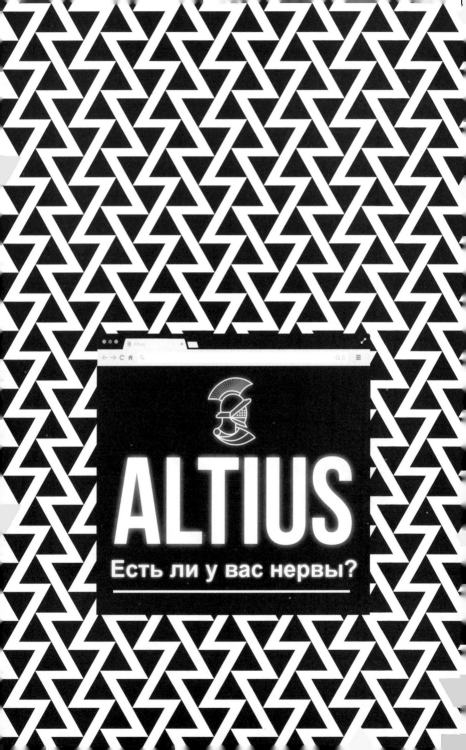